# Soltando as amarras

CIP-BRASIL. CATALOGAÇÃO NA PUBLICAÇÃO
SINDICATO NACIONAL DOS EDITORES DE LIVROS, RJ

N658s

Nizo, Renata di
    Soltando as amarras : ferramentas de escrita criativa / Renata di Nizo. - 1. ed. - São Paulo : Summus, 2019.
    144 p. : il.

    Inclui bibliografia
    ISBN 978-85-323-1140-5

    1. Criação (Literária, artística, etc.). 2. Escrita criativa. I. Título.

19-59463
CDD: 808.0469
CDU: 808.1

Vanessa Mafra Xavier Salgado - Bibliotecária - CRB-7/6644

www.summus.com.br

Compre em lugar de fotocopiar.
Cada real que você dá por um livro recompensa seus autores
e os convida a produzir mais sobre o tema;
incentiva seus editores a encomendar, traduzir e publicar
outras obras sobre o assunto;
e paga aos livreiros por estocar e levar até você livros
para a sua informação e o seu entretenimento.
Cada real que você dá pela fotocópia não autorizada de um livro
financia o crime
e ajuda a matar a produção intelectual de seu país.

# Soltando as amarras

Ferramentas de escrita criativa

RENATA DI NIZO

*SOLTANDO AS AMARRAS*
*Ferramentas de escrita criativa*
Copyright © 2019 by Renata Di Nizo
Direitos desta edição reservados por Summus Editorial

Editora executiva: **Soraia Bini Cury**
Assistente editorial: **Michelle Campos**
Capa: **Alberto Mateus**
Projeto gráfico e diagramação: **Crayon Editorial**

**Summus Editorial**
Departamento editorial
Rua Itapicuru, 613 – 7º andar
05006-000 – São Paulo – SP
Fone: (11) 3872-3322
Fax: (11) 3872-7476
http://www.summus.com.br
e-mail: summus@summus.com.br

Atendimento ao consumidor
Summus Editorial
Fone: (11) 3865-9890

Vendas por atacado
Fone: (11) 3873-8638
Fax: (11) 3872-7476
e-mail: vendas@summus.com.br

Impresso no Brasil

*Dedico esta obra a todas as Macabéas e ao povo indígena que protege nossa Amazônia.*

# Sumário

**Prefácio** – O prazer de escrever bem . . . . . . . . . . . 9
**Apresentação** – Escrever para viver melhor . . . . . . . 13
**Introdução**. . . . . . . . . . . . . . . . . . . . . . . . . . 15
1. Aprender a qualquer tempo. . . . . . . . . . . . . . . 19
2. A lógica do sensível . . . . . . . . . . . . . . . . . . 22
3. Universitários: o mundo é nossa livraria. . . . . . . . 33
4. A entrada no mercado de trabalho: foi dada a largada . . 50
5. *Coaching* literário: destravando as ideias . . . . . . . 65
6. Aprimorar o olho . . . . . . . . . . . . . . . . . . . 75
7. Ginástica para a fluência textual . . . . . . . . . . . 97
**Referências** . . . . . . . . . . . . . . . . . . . . . . . 139

**Prefácio**

# O prazer de escrever bem

**Durante toda a minha** trajetória estudantil e profissional, pude notar certos tipos de sentimento diante de uma folha ou tela em branco. Algumas pessoas sentem indiferença. Outras temem o desconhecido que pode ser revelado naquele desafiador espaço à espera de autoria. Apenas umas poucas sentem um grande prazer diante do convite que é revelar-se naquele espaço ofertado para a criação.

Acredito que este livro transformará os sentimentos de todos os leitores de forma positiva. Os indiferentes encontrarão um desafio gostoso para se tornar protagonistas por meio da comunicação de suas ideias. Os assustados poderão romper as barreiras do medo e encontrar prazer na descoberta de um meio libertador para revelar-lhes o que nem sabiam que conheciam. Os que já adoram uma página ou tela em branco conseguirão ir além do prazer de criar: descobrirão o prazer de escrever bem.

Nesta obra, Renata Di Nizo organiza de maneira didática os passos para que qualquer pessoa se envolva com a escrita, da criação à edição, motivando a curiosidade e a paixão pelas palavras que precisamente possam descrever o pensar, o sentir e a ação.

Conheci a Renata no início deste século, num curso de escrita criativa na Casa da Comunicação. Eu já era daqueles que têm prazer em escrever, mas me voltava demais para o lado técnico e estratégico-profissional, em que fazer e pensar eram o foco.

O curso me desafiou a incluir o sentimento no texto e libertar-me da ideia de que assuntos profissionais deveriam ser sérios e pesados. No início, foi difícil comunicar na escrita o que eu sentia. Hoje, vejo que tinha preconceitos, julgamentos e até desconhecimento das sensações, dos sentimentos e das emoções.

De lá para cá, escrevi mais de cinco mil textos, com diversos estilos, publicados em quatro blogues e nas redes sociais. Posso garantir que "criar" textos virou um enorme prazer, além de uma excelente forma de autoconhecimento e compartilhamento de ideias colaborativas para um mundo melhor.

Depois de ter percorrido esse caminho, confesso que eu já estava me achando "um bom escritor". Foi quando tive uma conversa com a Renata que me ofereceu um novo desafio: aprender a encontrar prazer em editar os textos. A princípio, confesso que odiei a ideia. Senti que era "perda de tempo". Mas Renata me mostrou que não bastava criar e publicar o que eu escrevia sem preocupações com gramática, ortografia ou estilo. Logo passamos a trocar e-mails. Eu publicava um texto, ela o lia e me mandava sugestões para melhorá-lo.

Cada troca aumentava o desafio de escrever melhor no próximo post. Assim, aprendi que editar era tão importante quanto o ato de criar. Ficou claro que um texto mal escrito é incapaz de comunicar sua essência. Hoje, posso dizer que também encontrei prazer em editar o que escrevo.

O fato é que, neste livro, você terá acesso à informação, ao conhecimento, à experiência e à paixão da autora pelo mundo da escrita. Com grande generosidade, ela compartilha com os leitores aquilo que ensina em seus cursos, palestras e treinamentos. Se me permite uma sugestão, leia, faça anotações e pratique, pratique muito. Só há uma forma de escrever bem: lendo e escrevendo.

Marcos Souza Aranha<br>
CEO da OW4Y e professor<br>
da Fundação Getulio Vargas (SP)

Apresentação

# Escrever para viver melhor

**Escritora, educadora, empresária, comunicadora, poeta.** Renata Di Nizo é tudo isso e mais um pouco. Com seu talento para aproveitar experiências e aprendizados, ela vem trilhando a vida como uma pessoa multipotencial. A exemplo dos renascentistas, conhecidos por suas múltiplas aptidões (leia-se Leonardo da Vinci, um dos maiores gênios criativos do Alto Renascimento, que foi cientista, matemático, engenheiro, inventor, anatomista, pintor, escultor, arquiteto, botânico, poeta e músico, entre outras funções), Renata bebe em diversas fontes e tem uma curiosidade sem igual.

Mas o interessante é que ela usa todo esse rico repertório de experiências para potencializar sua identidade na expressão pessoal. Por meio do texto ou da fala, coloca-se verdadeira e criativamente, transmitindo sua mensagem com maestria.

Isso a torna uma pessoa especialmente apta a falar de um tema tão importante nos dias de hoje: a escrita criativa.

Como já disse o escritor e dramaturgo americano Don DeLillo, "escrever é uma forma de liberdade pessoal". Segundo ele, a escrita nos liberta da identidade de massa que vemos ao nosso redor. "No final, os escritores escreverão não para ser heróis fora da lei de alguma cultura, mas principalmente para se salvar, para sobreviver como indivíduos", afirma DeLillo.

Todos podemos desenvolver a potencialidade de escrever para nos fortalecermos e evoluirmos. É essa uma das principais lutas de Renata, que há mais de 30 anos ajuda as pessoas a se expressar de um jeito mais autêntico e criativo. Neste livro, ela mostra o caminho a ser percorrido e as melhores formas de chegar lá. Renata fala da disciplina, do planejamento, das estratégias, do treino e de toda a atenção necessária hoje – quando o foco é constantemente perturbado – para o escrever criativo.

Mergulhe nesta obra com o coração aberto (e um caderno e um lápis na mão), como fez Renata ao concebê-la. No decorrer das páginas, escreva suas ideias e reflita sobre as propostas da autora. A escrita criativa envolve um trabalho lúdico, mas rigoroso, com a linguagem. Esse já é um bom começo para abrir as comportas da sua expressão. Habilidosamente e com muito bom humor, Renata conduzirá você, caro(a) leitor(a), ao fascinante mundo das palavras. E com isso você poderá escrever suas histórias e transmitir suas mensagens de forma muito mais eficiente, estimulante e divertida.

CHANTAL BRISSAC
Jornalista, editora da revista 29HORAS
e fundadora do Pro Coletivo

# Introdução

**Caro leitor,**

caso você ainda não me conheça, permita-me fazer uma breve apresentação. Inquieta desde a infância, sempre vi na criatividade uma ferramenta para lidar com as dores e as delícias da vida. Na juventude, passei 12 anos estudando e trabalhando na Europa. Na década de 1980, formei-me pela tradicional Escola Superior de Arte Dramática de Barcelona. Em seguida, dediquei-me a pesquisar a relação entre teatro e aprendizagem e entre linguagem e criatividade, estudo que desenvolvi no Instituto de Ciências da Educação da Universidade Central, também em Barcelona.

Depois, rumei para Paris, onde me juntei a um grupo de educadores empenhados em fomentar metodologias arrojadas. Lá, aprendi que a aprendizagem pode ser muito mais motivadora e dinâmica.

De volta ao Brasil, fundei no ano 2000 a Casa da Comunicação, empresa especializada em palestras e treinamento, sobretudo para o mercado corporativo. Atendi centenas de empresas apresentando *workshops* sobre liderança, criatividade, ética, autoconhecimento e trabalho em equipe.

Acredito que a criatividade pode e deve ser perenemente cultivada para que a autoexpressão se torne algo tão natural quanto os movimentos da respiração. Aliás, ela é o grande combustível para a solução dos problemas diários. É o lampião dentro da caverna, o "avatar" da nossa singularidade – portanto, da linguagem e, consequentemente, da nossa participação no mundo.

Nos últimos anos, escrevi vários livros e continuei meus estudos na área de comunicação e criatividade. Também trabalhei como *coach* literária, ajudando escritores potenciais a "destravar", e como *ghost-writer*. Conheci as pessoas mais incríveis e ajudei a colocar no papel histórias divertidas, complexas e cheias de humanidade.

## OS PORQUÊS

Algumas pessoas me dizem que falta tempo para se dedicar à leitura, ou que não conseguem uma brecha na agenda para escrever. Porém, tenho uma boa notícia: a falta de tempo, embora real, não pode conter a explosão criativa. "Ah, hoje não vou caminhar porque está chovendo". Ledo engano: a criatividade não pede licença nem exige condições excepcionais. Para ela não existe tempo bom nem tempo ruim.

Já viu um cachorro quando quer passear? Ele entra numa espécie de transe e não conseguimos demovê-lo de seu objetivo. Melhor calçar os tênis e dar uma volta. As ideias são igualmente insistentes, acredite. Pouco importa se você dormiu mal ou se não consegue permanecer muito tempo sentado: as ideias viram febre, brincam com seu sono e invadem sua mente nos momentos mais inoportunos. Quem nunca passou por isso?

## CRIAR É UM ATO POLÍTICO

Em pleno século 21, é cada vez mais comum opinar sem argumentação ou sem o mínimo de bom senso. Todo mundo diz o que pensa, sem se preocupar com as consequências disso. O ato linguístico abre os porões da nossa (des)humanização.

Porém, em tempos de *fake news* e informações excessivas e desencontradas, o antídoto para a cultura do imediatismo é o domínio da linguagem escrita. Sabemos que hoje em dia é perigoso pensar e alimentar a esperança, mas felizmente temos o direito de ligar o pause e o dever de sair do nevoeiro. Retomar o fôlego. Ser uma resistência criativa. Pintar paredes, colorir os muros, esbanjar poesia.

É por isso que, agora, lanço-me a um novo desafio: este livro, que nasceu de uma grande inquietude. Baseado em pesquisas de ponta e na minha experiência profissional, é uma tentativa de reunir pessoas em torno do mesmo objetivo: colorir a existência com nossas palavras. Reacender a chama criativa em tempos sombrios. Preencher os silêncios de interrogações. E, quando possível, colocar um ponto final, recomeçando novas e melhores histórias.

Espero que você mergulhe comigo nessa jornada e saia dela pronto para os desafios contemporâneos.

Obrigada por me ler!

Com carinho,
Renata Di Nizo

# 1
# Aprender a qualquer tempo

**Ao longo do século 20,** habilidades nas áreas verbal e lógica eram sinônimos de inteligência. Pior: a inteligência era considerada inata. A partir dos anos 1980, no entanto, o conceito de inteligências múltiplas trouxe a boa notícia: qualquer pessoa pode desenvolver a inteligência linguística.

Em meu livro *Escrita criativa – O prazer da linguagem* (2008), enfatizo a persistência no aprendizado. De fato, ninguém, nem mesmo aqueles dotados de potencialidade inerente, chega ao sucesso sem treino. O mesmo acontece com jogadores de futebol, ginastas, matemáticos, poetas ou pessoas emocionalmente inteligentes.

O raciocínio é simples: é improvável desenvolver ou aflorar uma competência sem exercê-la ou estimulá-la com regularidade. Do mesmo modo, você será mais inventivo na área em que for competente.

## A MOTIVAÇÃO DE APRENDER

Automotivar-se significa ganhar independência, carregar a própria fonte de energia, não ser paralisado por problemas, estabelecer uma relação mais saudável com aquilo que estamos fazendo (Mussak, 2003).

Que razões o levam a escrever? Orientar a vontade com constância é essencial. Disciplina vem de dentro e é indispensável. O ato de ler e escrever com regularidade vira comprometimento. A firmeza de propósito dá lugar à autonomia para adquirir conhecimento técnico.

## APRENDIZADO COM PRAZER

Para tanto, é preciso desconstruir crenças limitantes, ultrapassar o plano intelectual e envolver-se emocionalmente. Daniel Goleman (1997) afirma que aprendemos mais e melhor quando nos dedicamos a assuntos de nosso interesse, que nos geram prazer. Concordo plenamente com ele. Por esse motivo, dedique-se a temas que mexam com sua curiosidade, assuntos que você, o tempo todo, está disposto a investigar.

Quando se é curioso, além de indagar, se vai atrás de respostas. Por isso, a curiosidade é tão importante quanto a inteligência. Ela prepara o cérebro para aprender. Estimula a mente para comparar, analisar e fazer uma triagem. Instiga a imaginação e as emoções. É o motor de busca de novas respostas.

Em entrevista à filósofa Viviane Mosé (2013), Rubem Alves fala da importância do prazer oriundo da curiosidade, afirmando que esta, por sua vez, instiga a inteligência. À medida que se desperta o

> **Um dos erros mais funestos que podemos cometer, enquanto estudamos, [...] é recuar em face do primeiro obstáculo com que nos defrontamos. [...].**
> (Freire, 1993, p. 41)

interesse genuíno pelas coisas, passa-se a adquirir responsabilidade sobre elas. O aprendizado real começa na sensibilidade, naquilo que provoca prazer e alimenta nosso coração. Nesse sentido, quando faz uma boa leitura, você fica maior, cresce com ela.

O também saudoso Paulo Freire já falava sobre o medo que o homem contemporâneo tem dos sentimentos, medo esse oriundo do temor de perder a cientificidade. Porém, ele dizia que o que eu sei, sei com o meu corpo inteiro: tanto com minha mente crítica como com minhas emoções.

Partindo desse pressuposto, a ideia deste livro é que você descubra o prazer de deixar o texto mais exato, mais leve, mais bonito. O compromisso começa pelo resgate da sua aptidão criativa, bem como da sua responsabilidade em ser um melhor leitor de si e do mundo. Ter opinião própria não é mérito nenhum, a não ser que você (re)aprenda o caminho da leitura.

Proponho, portanto, o desenvolvimento do observador interno que acende nossa chama criativa enquanto reconstruímos nossa visão de mundo. Não é o caminho mais curto, mas é a chave, por meio da linguagem, para transformar a realidade.

# 2

# A lógica do sensível

## UM JEITO DIFERENTE DE LER O MUNDO

**Cada vez mais** nos aproximamos de uma forma de leitura e de escrita similar ao nosso esquema mental. Enquanto o texto no papel é escrito e lido linearmente, da esquerda para a direita, o hipertexto, similar ao nosso cérebro, tampouco tem fronteiras para nossa imaginação. O texto lido na tela do computador é multilinear e possibilita, por meio de *links*, escolhas múltiplas: não há limites de interpretação.

Segundo Lévy (1999, p. 56), "um texto móvel, caleidoscópico, que apresenta suas facetas, gira, dobra-se e desdobra-se à vontade frente ao leitor". Nesse sentido, é o próprio leitor, no momento da leitura, quem constrói, define a estrutura e o sentido do hipertexto.

Não faltam informações nem diversidade de linguagem. Além disso, qualquer site ou rede social é um convite a comentários e críticas, reforçando o discurso de improviso e a defesa de pontos de vista. Resta saber, no entanto, até onde vai a capacidade de processar e refletir sobre tudo que se lê e escreve.

Saber ler e escrever não representa nenhum diferencial; no entanto, ler e escrever **bem** se tornaram um seletor natural que separa pessoas dotadas de opinião própria daquelas que simplesmente replicam o que leem.

### AJUSTANDO-SE ÀS FRONTEIRAS

Passada a fase assustadora em que os puristas estrilaram (e resmungam até hoje), comprovou-se que o "internetês" não dilapidou o patrimônio linguístico. A grafia abreviada e a pontuação ao acaso acabaram se consolidando como um estilo informal e afetivo. O popular *emoticon*

**Cuidar bem da nossa língua demanda aumentar o repertório, aprender a ler textos longos e produzir textos mais desenvolvidos.**

que expressa humores e sentimentos, economizando caracteres, foi assimilado dentro das fronteiras cibernéticas.

A cultura do imediatismo criou na internet o texto objetivo e conciso – sobretudo a escrita automática, mais rápida e prática, em geral mais coloquial, cuja informalidade é válida apenas no mundo virtual. O desafio de quem ainda não adquiriu maturidade em português é perceber a existência de contextos e níveis de linguagem. Na prática, significa separar o estilo formal do coloquial, ajustando a linguagem ao ambiente.

Para alguns estudiosos, a confusão entre a norma culta e o "internetês" é agravada em função dos baixos índices de leitura. Os pessimistas consideram, inclusive, que a dificuldade de ler o jornal ou um livro do começo ao fim é cada vez maior (extensos romances, nem se fale!). Já os mais otimistas aplaudem o aumento da leitura, embora se trate de um tipo mais fragmentado.

## ESCOLHAS CONSCIENTES

Na frente do computador ou do celular, pesquisar, ouvir música e, ao mesmo tempo, verificar o WhatsApp a todo instante e, em qualquer situação, responder a meia dúzia de mensagens em tempo real. A atenção multifacetada pula de um assunto a outro, bombardeada por diversos estímulos.

Diante do turbilhão de mudanças e do avanço tecnológico, é necessário fazer escolhas conscientes para delimitar o uso de ferramentas cada vez mais sofisticadas e atraentes. O desafio é que o fluxo crescente de distrações não diminua a capacidade seletiva de resolver problemas e aprimorar nossa comunicação.

## A ESCRITA CRIATIVA

Embora os conceitos não sejam estáticos, a clássica divisão dos hemisférios cerebrais continua sendo válida para elucidar o método da escrita criativa. De fato, há uma conexão complexa entre as áreas cerebrais, a qual influencia o desempenho de suas múltiplas funções.

O pensamento criativo é o voo livre em direção ao imaginário. Assim, você capta sensações, pensa por imagens e escreve intuitivamente, de um jeito aparentemente caótico. Depois desse devaneio, uma vez colocadas as ideias no papel ou na tela, há o retorno às leis da *lógica*.

O pensamento racional – sequencial e linear –, por sua vez, ordena o caos, confere começo, meio e fim, garantindo que todo efeito produza uma causa. Ao refazer o caminho das sinapses lógicas, por meio de ajustes progressivos, o encadeamento cartesiano assegura coerência e clareza.

## UM TEMPO PARA CADA ETAPA

Se não soubermos confiar no jorrar de ideias e, ao mesmo tempo, lapidar o diamante bruto da criatividade, grandes ideias podem morrer na praia. Logo, escrever exige duas etapas interdependentes e complementares: o processo criativo e o processo de revisão. A prática vai demonstrar que as ideias mais férteis nascem justamente do equilíbrio dinâmico: de um lado, a leveza; de outro, a precisão.

- **Processo criativo**: etapa em que associações livres e devaneios contagiam o imaginário. Múltiplas provocações aquecem o caldeirão da criatividade. Brotam ideias – disparatadas ou dissonantes – que nos encorajam a soltar o verbo. É o momento da total liberdade de expressão, dos grandes *insights* criativos, atribuição do hemisfério direito do cérebro.

- **Processo de revisão**: depois de algumas horas ou dias, de preferência tendo deixado tempo para decantar as ideias, é a hora, inclusive, de reescrever parágrafos ou enxugar o texto. A função do crítico interno – senhor do hemisfério esquerdo – é analisar o alcance de objetivos, escolher a linguagem apropriada ao contexto, verificar estrutura e coerência, adequação e assertividade, bem como os possíveis erros gramaticais. Ao mesmo tempo, enquanto se revisa, acontecem novos e melhores *insights*.

## O FAMOSO BRANCO

Por onde começo meu texto? Será que vou chegar a algum lugar? O grau de hesitação é variável, mas na maioria das vezes vem acompanhado de crenças introjetadas ("Escrever é difícil"; "Não sou criativo"), de preocupações com o leitor ("Vou agradar?"; "Ele vai me entender?") e de incômodos com a gramática e a ortografia.

Quando, no momento exato de colocar as ideias no papel ou no micro, o crítico interno (hemisfério esquerdo) se antecipa e começa a emitir julgamentos, ocorre o famoso branco. Criticar as ideias prematuramente é a maneira mais segura de sabotar o texto.

Diante disso, é recomendável evitar a inversão de etapas: o processo de análise não deve ser simultâneo ao jorrar de ideias. Primeiro criar e, posteriormente, revisar o texto. Até que você ganhe fluência e confiança na escrita, quanto mais postergar a revisão, maiores são as chances de o texto se beneficiar. Deixar o texto descansar permite o distanciamento e a objetividade na hora da apreciação.

## A IMPORTÂNCIA DA REPETIÇÃO DE ESTÍMULOS

Os pensamentos emitem ondas cerebrais; entre elas, o tipo de frequência alfa é considerado o mais indicado para a criatividade, pois corresponde ao estado ideal do processo de imaginação, de inspiração para criar e relaxar. Por esse motivo, nosso convite é experimentar várias fontes de inspiração: visualização criativa, relaxamento, contemplação de imagens ou de cenários etc.

Sabe-se que o cérebro – formatador da nossa visão do mundo – tem uma arquitetura maleável, passível de novos aprendizados. Isso indica que, mediante a repetição de estímulos, é possível reformatá-lo. Daí a ênfase no treino. Durante os primeiros meses, a proposta é ativar os atributos da criatividade, ganhando em fluência verbal. Por isso, não se cobre a qualidade dos textos. Treine a disciplina de escrever a partir de estímulos.

> [...] começar a escrever escrevendo [...] Começamos aos poucos, palavras jogadas aqui e ali, e continuamos, cavando mais fundo, em busca daquilo que somos, de nossas preferências e limitações,

nosso perfil, nossos vulcões, nossas ilhas, nossos mares. [...] É possível encontrar na escrita um sentido para viver. (Perissé, 2010, p. 76)

## O ENCONTRO ENTRE RACIONAL E IRRACIONAL

Segundo o psicólogo americano Joy Paul Guilford, diante de um problema, há duas formas essenciais de encontrar a solução. A primeira delas consiste no pensamento convergente – lógico-racional –, cujo foco é obter uma única solução para o problema. Esse tipo de produção convergente é intrínseco à educação científica e às ciências, sendo função do educador ajudar o aprendiz a descobrir a resposta "correta".

Já o pensamento divergente, por sua vez, procura múltiplas respostas em vários campos do saber. Divergir é discordar, se afastar, buscar alternativas, pouco ortodoxas, que se desviam das diretrizes habituais do pensamento. Fora das artes, em geral não se encoraja o pensamento divergente, afirma Guilford, citado por Kuhn (1989, p. 279).

## ENTRE OS OPOSTOS, O ATO DA CRIAÇÃO

Inventar novas formas com base em um estoque de informações, sem dúvida, exige a fase de pesquisa consciente. Durante essa primeira etapa, dispomos de uma produção convergente: organizamos, classificamos, analisamos. Esse esforço voluntário, embora às vezes infrutífero ou insano, porque parece não nos conduzir a nenhum lugar, é exatamente o combustível que abre as comportas da intuição. Lentamente, sem perceber, as turbinas do inconsciente serão aquecidas.

Durante a etapa posterior, o pensamento divergente, por meio do imaginário, favorece esboços e, em seguida, a tempestade de ideias. Paulatinamente, os pensamentos tornam-se mais claros. Por fim, o crítico interno elabora críticas construtivas, buscando convergir em prol da melhor solução.

## A EURECA NASCE DE DISPOSIÇÕES CONTRÁRIAS

O pesquisador húngaro Arthur Koestler, autor do ensaio "Moments of true", sobre a criação artística/industrial e a descoberta científica (1964), explica o famoso eureca como o momento de êxtase do ato criador. Em vez de acreditar no dom divino ou no mecanismo puramente associativo, para Koestler a criação é um ato bissociativo, ou seja, que parte da estrutura binária da mente.

Distinto do raciocínio habitual (convergente), que trabalha em uma única direção, o ato criador atua simultaneamente em vários planos (divergentes). Uma vez esgotados os métodos tradicionais, sem solução, o pensamento vagueia em múltiplas direções até juntar conceitos improváveis, de onde emerge a grande ideia ou criação.

O ato de criação exige disposições contraditórias. É justamente essa combinação de opostos complementares que garante a qualidade do texto. A criação vem dessa capacidade de recuar da linguagem para a imagem, do símbolo verbal para o não verbal, multiplicando cruzamentos entre matrizes racionais e inconscientes.

## A LÓGICA DA FANTASIA

De que maneira aguçar a produção textual? Como estimular a combinação de opostos e garantir a junção original? De que depende a criação? Se você escreve com fluência ou não, aguçar a imaginação é o recurso essencial para abrir as comportas da sua biblioteca de palavras, sensações, emoções, experiências e conhecimento.

Segundo Vigotski (2009), a imaginação é a base de toda atividade criadora, responsável pela criação artística, científica e técnica. Para o autor, a imaginação, em vez de ser divertimento ocioso da mente, é função vital necessária. Existe um vínculo estreito e complexo entre realidade, fantasia e conteúdo emocional.

Nesse sentido, necessariamente, tudo que nos cerca e foi feito pelas mãos do homem, todo o mundo da cultura, diferentemente do mundo da natureza, é produto da imaginação e da criação humana que nela se baseia (*ibidem*).

O escritor italiano Gianni Rodari, autor de *Gramática da fantasia*, partindo da mesma premissa de Vigotski, considera que brincadeiras e jogos são algumas das melhores maneiras de expressão dos processos da imaginação e da criação. Muitos dos seus jogos verbais, utilizados com crianças em sala de aula, têm inspirado os adultos a inventar histórias em nossos programas de escrita criativa.

Imagine juntar mesa e cadeira. Essas palavras representam uma simples associação. Ao contrário, se aproximamos duas palavras distantes uma da outra, de tal modo que sua aproximação resulte em algo insólito, temos o que Rodari denomina binômio fantástico. Alguns exemplos:

- cadeira e minhoca;
- peixe e lua;
- gaveta e hipopótamo;
- celular e relíquia.

Assim como Koestler considera a criação um ato bissociativo, Rodari enfatiza que uma história necessita de dois elementos fantásticos. Esse binômio fantástico, ao produzir desvio, torção, deslocamento, distância, é capaz de chacoalhar a imaginação. Dessa maneira, por meio de jogos verbais, as palavras se afastam da banalidade, ou seja, da "significação" imediata e funcional.

## EM VEZ DE MILAGRE, TREINO

Idolatrar a inspiração é uma crítica dos escritores que acreditam no trabalho duro. Embora não neguem momentos de inspiração, o foco deles está em escrever diariamente, assegurando, desse jeito, as trilhas da criatividade. Contar com ideias geniais que despencam sobre nós nem sempre funciona – ao contrário, pode produzir um bloqueio crônico.

Por isso, existem truques e técnicas facilitadoras da fluência de ideias. A inteligência linguística se desenvolve mais facilmente mediante certas condições de aprendizagem.

É interessante saber escrever sob estresse, mas é ainda mais energizante – mediante um estímulo criativo – soltar o verbo. Discipline-se, acima de tudo, para ler e escrever regularmente.

## SABOTADORES DA CRIATIVIDADE

Tendo em vista que a primeira etapa da escrita é o processo criativo, é imprescindível identificar os sabotadores que minam sua relação com a criatividade. Ao reconhecer as vozes internas que se opõem às iniciativas e funcionam como adversários silenciosos da inovação, você poderá substituir velhas crenças por um aprendizado dinâmico e prazeroso.

Fazer as coisas sempre do mesmo jeito é uma forma de minar qualquer iniciativa. Pode haver resistência a tudo que é novo, reforçando a acomodação. O medo do ridículo – do que vão pensar de nós – também acaba funcionando como sabotador. A certeza de tudo bloqueia, sem dúvida, a descoberta de melhores formas de fazer as mesmas coisas. Outras vezes, o bloqueio é a preguiça de sair da zona de conforto.

Assim como ideias brilhantes – enterradas na areia – morrem na praia, não bastam ideias excelentes se o imediatismo o impedir de trabalhar minuciosamente o texto. Na hora de escrever, a aridez de cultura geral e de informação impossibilita a desejável familiaridade com fatos e situações.

O próprio racionalismo impregnado na sociedade é o grande empecilho. A maioria das atividades é movida por um senso utilitário, em função, por exemplo, de afastar obstáculos, resolver problemas e atender a necessidades. A complicação é se tornar extremamente sério – prato cheio para o crítico interno – e, por conseguinte, deixar em segundo plano as ações motivadas pelo prazer, abdicando, por exemplo, da diversão verbal.

Os jogos de palavras e de linguagem acabam se restringindo ao público infantil. Publicitários com fins utilitários ou escritores com licença poética são os únicos autorizados a inovar a linguagem formal. Do contrário, impera a resistência silenciosa às rupturas da seriedade, que pretendem introduzir a função lúdica da linguagem.

O escritor Rubens Marchioni (2007) reputa ao desconhecimento do próprio processo criativo o bloqueio mais perigoso. A gestação de uma ideia guarda muita semelhança com a gestação propriamente dita. Como a gravidez, ela não reage muito bem quando uma das etapas é queimada. O resultado inevitável chama-se aborto.

Vale compartilhar comentários de nossos clientes que elucidam o tema.

> *Nossa empresa é voltada para resultados, então o que nós necessitamos não é de nada lúdico. Nosso público interno é avesso a tudo que se pareça com abraçar uma árvore.*

> *Você não tem nada além de escrita criativa? Nós queremos mesmo é que os colaboradores escrevam com clareza. Não é de criatividade que eles precisam.*

*Não estamos abertos a esse tipo de curso por demais criativo. Os clientes internos são superfocados em resultados, do tipo engenheiro, sabe?*

*A linguagem acadêmica é muito séria. Não há lugar para devaneios.*

## A LÓGICA DO SENSÍVEL

Com o advento da ciência cartesiana e, por conseguinte, do positivismo, a produção acadêmica passou a enaltecer a necessidade do distanciamento, da neutralidade ou da imparcialidade. Daí o uso recorrente, em obras de autoria única, de termos como "pesquisamos", "buscamos", "observa-se", "percebe-se" etc.

Lévi-Strauss, citado por Almeida (2008), atenta para o que vai além das aparências ou da superficialidade. Daí sua paixão pela geologia, pela psicanálise e pelo marxismo. Deste último, interessa que os fatos isolados são desprovidos de sentido. O autor sugere, portanto, o olhar mais apurado, um modelo de pensamento que articule o sensível e o racional. Ou seja, o suprarracionalismo que visa à integração do primeiro no segundo, sem sacrifício de nenhuma de suas propriedades.

Ainda segundo Almeida (2010), o pensamento racional não se opõe ao sensível. Eles se complementam à medida que, por meio dos cinco sentidos, reorganizam a realidade. Esses cinco sentidos são receptores da realidade e das linguagens. O conhecimento, por sua vez, é o tratamento das informações que se metamorfoseiam.

Para além dos cinco sentidos, a imaginação criadora é o edificador da sua sabedoria. Dessa maneira, o tratamento do seu texto vai permitir que o sensível e o lógico coexistam.

# Universitários: o mundo é nossa livraria

> "Houve um tempo em que, se tivesse de optar entre duas cegueiras, escolheria ser cego ao esplendor do mar, às montanhas, ao pôr do sol do Rio de Janeiro, para ter olhos de ler o que há de belo, em letras negras sobre fundo branco."
>
> CHICO BUARQUE

## A DISPERSÃO É A GRANDE VILÃ

**Abandonar projetos ou atividades,** acumular pendências ou necessidades não atendidas e penar para ler mais do que um parágrafo são, no mínimo, sinais de dificuldade de focar a atenção. O que foi mesmo que acabei de ler?

Nesse processo, falta atenção para reconhecer o que nossa observação é capaz de apreender. Isso impede que captemos as informações essenciais de determinado assunto, prejudicando as atividades corriqueiras e a própria aprendizagem.

Alguns profissionais consideram o uso indiscriminado de tecnologias de comunicação um agravante da dispersão. Já a professora Andréa Jotta, pesquisadora do Núcleo de Pesquisa de Psicologia em Informática da Pontifícia Universidade

Católica de São Paulo, não acredita que as pessoas perderam a capacidade de se concentrar (Cairo, Moon e Sorg, 2011).

"O que vemos aqui é um excesso de foco no mundo digital", diz ela. Há quem entre tão fundo no mundo virtual que se esquece do real à sua volta. Em um dos casos estudados por ela, o paciente via pornografia na baia de trabalho, alheio ao fato de estar em um lugar público. Em outros, as pessoas deixavam de dormir ou de ir ao banheiro para não largar um jogo. "A concentração parece estar ali, mas o foco está voltado para outras coisas."

Numa época em que a atenção é tão fluida, estudantes de todos os níveis precisam se esforçar duplamente para apreender o que é ensinado em sala de aula e, depois, demonstrar o conhecimento retido.

**O *mindset* nada mais é que um conjunto de características mentais que determinam nossos pensamentos e atitudes.**

Então, no meio de tanta informação, é necessário recuar e, sobretudo, decidir se quer ampliar seu universo de conhecimento. Nesse caso, o primeiro passo é a mudança de *mindset* sobre o que é aprender e sobre o que é aprender para a vida. Trata-se de aplicar o princípio de economia da atenção. Se o estudo da linguagem carrega décadas de descaso ou de obrigatoriedade impositiva, agora o desafio é inverter as prioridades. No centro desse processo está o que pode prender sua atenção e despertar seu protagonismo por meio do aprender a aprender.

Para tanto, descubra os recursos ou pontos de contato capazes de instigar seu desejo de aprofundar e explorar o assunto de forma significada. Ou seja, aquilo que você aprender não deve permanecer confinado à sala de aula. O real aprendizado permite voos e constante redirecionamento. Nesse sentido, só é possível desenvolver a competência linguística se preenche essa trajetória de sentido e significados.

Aprenda a usar a tecnologia a seu favor. Em vez de considerar a percepção um elemento passivo, construa a realidade com base em condições estruturais; enquanto interfere no ambiente, você é, ao mesmo tempo, modelado por ele.

Ainda hoje persiste a tendência de considerar a atenção uma capacidade de fazer escolhas e sustentá-las. Ou seja, o que está fora dessa atenção seletiva é desatenção; o que está dentro corresponde ao ato de prestar atenção. Contudo, o conceito de atenção também evoluiu.

## BREVE CONTEXTUALIZAÇÃO DA ATENÇÃO

O psicólogo norte-americano William James (1842-1910) foi pioneiro ao afirmar que não há atenção voluntária que se sustente por mais do que alguns segundos. Para ele, o que é chamado de atenção voluntária é, na verdade, a repetição de um esforço sucessivo de trazer o foco de volta para a mente. Você quer muito prestar atenção ao que diz o professor, mas sua atenção escapa a todo momento. Para manter-se no foco, ela demanda constantes retomadas. Não é verdade que parece insano esse movimento de oscilação natural? Independentemente do esforço da vontade consciente, trata-se de uma operação volátil.

Uma das contribuições do filósofo francês Henri Bergson (1859-1941) diz respeito ao conceito de "duração". O autor admite a existência de uma atenção que não se confunde com aquela envolvida nas atividades práticas da vida cotidiana. Não é algo comparado a aprender a conduzir o carro ou a preparar um café. Parece mais com escutar algo que incita seu questionamento interno, que faz você mergulhar no já vivido.

*Você se lembra de algo...* É como se acessasse uma experiência ou um conhecimento impregnado de lembranças. Esse tipo de atenção que conecta passado e presente torna possível a invenção. Embora pareça um tipo de distração, trata-se de uma atenção errante que nos permite inovar.

Já o termo "atenção flutuante" citado por Freud (1969) refere-se a uma atenção que não "quer se fixar em nada em particular". É a suspensão da atenção exercida pelo analista no espaço clínico e lhe permite sintonizar a escuta com as associações inconscientes trazidas pelo paciente. Para Freud, tal suspensão leva a grandes descobertas.

## A REVOLUÇÃO DA ATENÇÃO

Grupos de pesquisadores contemporâneos, inspirados nesses autores, ajudaram-nos a rever conceitos e a relativizá-los. Até pouco tempo, o indivíduo era considerado atento quando conseguia focar a atenção na explanação do professor. Hoje, no entanto, sabe-se que o prestar atenção é muito mais complexo. Imagine que você veja uma obra de arte, algo equivalente à surpresa estética. De repente, por meio de uma experiência estética, ocorre a "suspensão". Trata-se de um momento único em que você intui, apreende o sensível e até é capaz de se "misturar" com o que viu.

A ação contemplativa é outra ferramenta que provoca a suspensão. A atenção normalmente voltada para o exterior é redirecionada para o interior. Este redirecionamento não exige nada além de prestar atenção ao que está por vir. Se de fato há uma suspensão, não haverá lugar para lembranças ou pensamentos. O único foco é "deixar vir". Trata-se de uma distração que não é distração, mas atenção voltada para si, para o encontro de algo que vem do interior.

## DESAPRENDENDO

Se pensarmos em como pulamos de uma imagem a outra, de zaps a vídeos, constataremos que estamos imersos em um estado de "não atenção". Dificilmente percebemos o que acontece conosco e em nosso entorno. O que nos leva a sugerir que o excesso de dispersão e de estímulos externos exige o desaprender. Ou seja, aprender a estar atento ao que fazemos.

Autores como Depraz, Varela e Vermersch (1999, 2003) estão interessados no desenvolvimento e na estruturação de uma metodologia para o ato de "tornar-se consciente". Esse também é o foco de distintas práticas, entre elas a meditação (ou introspecção guiada), a prática clínica psicanalítica, a filosofia e a escrita criativa. A ideia em comum é "tornar claro para a consciência algo que nos habitava de modo confuso, opaco, afetivo", afirma Maria Helena De-Nardin (2007, p. 48). Prestar atenção seria apenas uma das etapas do aprendizado.

O objetivo das práticas budistas é levar o indivíduo a voltar a atenção para si. Nada de fazer um trajeto de carro com a cabeça na lua. Em meu livro *A educação do querer* (2007), chamo esse estado de não atenção de "piloto automático". Dispersão é a dificuldade de sustentar a atenção. Você consegue ler meia página e, de repente, sente fome ou escuta o som de notificação no celular. Imediatamente responde. Depois ri muito com um vídeo, puxa conversa com um amigo e retorna à primeira página do livro. Durante a leitura, seu foco pula de um assunto ao outro como se você guiasse sem direção predefinida.

Em suma, o desafio é desenvolver o hábito de estar atento, minimizando a dissociação entre mente e corpo. Em vez de transitar de um foco a outro, experimentar cada experiência. Trata-se de perceber o que a mente está fazendo, ou seja, de desenvolver a consciência do que se faz.

## ATENÇÃO INVENTIVA

Quando os professores apontam a importância da atenção em sala de aula, em princípio estão se referindo a esse tipo de focalização, citada anteriormente, usada para reter informação, realizar tarefas ou resolver problemas. Já a aprendizagem baseada na invenção, em vez de se preocupar com respostas, instiga perguntas perturbadoras, permitindo que o novo aflore.

**Suspender a atração aos estímulos externos, e voltar a atenção para si – olhar-se com os olhos de dentro.**

Imagine, no meio de uma aula, uma atividade com música clássica. Ou, de repente, algumas imagens simbólicas são projetadas. Você pode pensar que se trata de pura dispersão, mas se o professor estiver consciente das possibilidades do trabalho com apoio artístico, em vez de distrair os alunos, ele lhes oferece um "respiro".

Por esse motivo, algumas técnicas criativas vão treinar, por exemplo, a capacidade de contemplar uma imagem, fixando-a na sua tela mental. Você deverá olhar detidamente enquanto relaxa e deixa vir uma série de ideias ou sugestões criativas. No começo, parece perda de tempo, mas aos poucos é possível experimentar esse tipo de atenção inventiva: concentração sem foco. Exige dar uma pausa nas pressões externas e simplesmente aguardar o inesperado.

Atividades corporais como *lian gong*, ioga e *tai chi chuan*, entre outras, estimulam a autopercepção, exigindo que você e o movimento sejam uma única unidade. Em vez de se deixar levar pelos estímulos externos, você se "dobra" para dentro de si mesmo. Então, em instantes que parecem sublimes, conecta sua natureza profunda. É de lá que provêm os *insights*, as sutilezas, o silêncio. E como desenvolver esse olhar? Praticando. Por meio da arte, do corpo, da meditação e de estímulos à criatividade.

Vejamos a seguir algumas dicas para suspender os julgamentos habituais e desenvolver um modo de atenção concentrada e aberta – logo, inventiva.

**COZINHANDO EM BANHO-MARIA**
Além do treino, é preciso aguçar diariamente o observador que você é, estimulando o olhar de descoberta. Ambicione tornar-se um pesquisador nato: anotar e registrar detalhes, impressões, captar imagens, sensações, armazená-las. Abandonar a pressa de classificar evidências. Investigar obviedades, revelando o oculto por detrás delas. Às vezes, uma mancha é só uma mancha inocente ou pode ser um convite para sobrevoar novas possibilidades e cair de paraquedas no seu caldeirão da criatividade.

O texto pode ser carregado de inteligência sem perder a leveza. Para tanto, é preciso:

- repensar a frase e formulá-la de um jeito mais enxuto e impactante;
- reafirmar a clareza do argumento, prestando atenção à sintaxe;
- juntar ideias improváveis e carregar as hipóteses de um novo olhar;
- abandonar de vez em quando a pressão e ir ao cinema.

O distanciamento permite que o subconsciente se coloque em ação. No tempo certo, projeta ideias e, por vezes, até mesmo a estrutura – começo, meio e fim. Lembre-se de cultivar o hábito de relaxar e sobrevoar os temperos à sua volta. A resposta ao enigma pode estar bem diante do seu nariz.

## O TEMPO DO PLANEJAMENTO E DA MATURAÇÃO

Seja sensato. Se ficar esperando o universo conspirar a seu favor, sem fazer a sua parte, acabará, sob pressão e sem dormir, terminando o projeto na véspera da entrega. Pior, além do estresse garantido, perderá a chance de maturar o texto e entregar algo de qualidade.

Comece quanto antes a pesquisa. Delimite e escolha, logo, seu tema. Respeite os prazos, aprendendo a dosar atenção inventiva e concentrada ao longo da investigação.

Planeje suas atividades e siga o cronograma. Lembre-se de que escrever um pouco diariamente é a melhor forma de maturar o trabalho. Garanta tempo para escrever e reescrever até ficar satisfeito.

Ninguém melhor do que você para enriquecer, enxugar, mudar a ordem e se certificar de que alcançou um grau satisfatório de clareza e objetividade, equilibrando a construção lógica e formal com a riqueza do processo criativo.

Submeta o texto à apreciação de outras pessoas. Não confie cegamente no corretor ortográfico eletrônico. Jamais dispense o dicionário impresso.

## À CAÇA DE MATÉRIA-PRIMA

A matéria-prima de nossos textos provém do observador que somos. Haja vista a maturação interna que, por meio dos cinco sentidos, acompanha a percepção da experiência, a observação ou reflexão direta do fenômeno, bem como a analogia e o cruzamento com fenômenos de outras áreas.

> "A leitura é para a mente o que o exercício físico é para o corpo."
> 
> Richard Steele

Os temas de predileção nos inquietam; o questionamento sobre uma ideia tida como senso comum e a riqueza das leituras são algumas das formas de aquecer o caldeirão criativo.

A leitura passa a fazer parte da nossa cultura, moldando a personalidade e dando um sentido à nossa visão de mundo. Por isso, você só escreverá bem um *slogan* ou uma obra se se dedicar a muitas horas de leitura (Marchioni, 2007).

## A LEITURA ATENTA É METADE DO CAMINHO

Uma boa leitura implica compreender o que se lê; para tanto, são necessários interesse e conhecimento prévios. Ao mesmo tempo, requer repertório textual, experiência de mundo para refletir e confrontar as ideias com as preexistentes na própria mente.

Acarreta processos cognitivos múltiplos, nos quais o leitor reformula conceitos e suposições, podendo inclusive obter um novo entendimento da realidade. Às vezes, oferece conclusões que influenciam de alguma forma nossa vida. É um ato social firmado entre leitor e autor.

Há também a leitura superficial, que vagueia de um assunto a outro para pescar alguma informação ou dica de entretenimento. Distinta é a leitura que aumenta o vocabulário e/ou induz a análise crítica. Requer atenção especial: ler muito e, principalmente, ler bem.

## TUDO DEPENDE DO LEITOR QUE SOMOS

A grande revolução da leitura na era cibernética se deu a partir do momento em que imagens foram integradas aos documentos, implementando o formato hipertexto. As informações relacionadas entre si permitem a leitura dinâmica e associativa que nos dá acesso ao mundo em rede.

A forma de ler é mais rápida e superficial, menos linear e mais fragmentada. E-mails, *posts* em redes sociais, artigos, capítulos isolados, resumos e até frases de obras. Som, animação, imagem, vídeos, cor, elementos gráficos e *hiperlinks* que se conectam partilhando com o leitor a construção de significados. Em qualquer caso, a leitura vai depender da familiaridade e da compreensão do ambiente virtual, como também do repertório pessoal.

Essa interatividade (o leitor percorre um caminho de leitura individual) exige a ativação simultânea de saberes múltiplos (sobre a estrutura do suporte, conhecimentos de mundo, leituras semióticas) que devem fazer parte de seu repertório individual no momento da leitura. Assim, o leitor pode encontrar em determinado sítio virtual facilidade para ler e em outro perder-se, distrair-se ou não compreender.

## ESTRATÉGIAS DO LEITOR

Existem estratégias para leitura. Você pode ler em voz alta, com o intuito de revisar o texto. Ler com objetivo claro, por exemplo, quando procura algo específico. Ler para pesquisar uma visão mais abrangente e obter uma informação. Ler inclusive para expandir a busca. Quem sabe, apenas ler de maneira aleatória, sem objetivo predefinido.

Ler resumindo, fazendo uma síntese à medida que lê. Ler antecipando as informações (rememorar o que já se sabe e pressentir o que virá a seguir). Ler questionando, ou seja, anotando e respondendo a perguntas. Ler identificando os fatores-chave (objetivos, público, posicionamento do autor etc.). Ler atendo-se somente aos indícios úteis e desconsiderando os supérfluos. Ler confirmando ou não nossas especulações. Ler pensando em voz alta.

Segundo Slatin (1991, p. 160), citado por Taciana Lima Burgos, existem três tipos (perfis) de leitor:

- "leitor pesquisador", que não lê de modo aleatório e circula por toda a informação disponível, por prazer ou interesse;
- "leitor utilizador", usuário que navega com objetivo claro e delimitado, limitando-se à leitura com fins predeterminados;
- "leitor coautor", ávido por percorrer vários caminhos para ler, independentemente da temática ou da complexidade do hipertexto eletrônico.

## LER PARA COLETAR

Há uma relação de interdependência entre desenvolvimento da linguagem e da cognição, leitura e escrita. A linguagem verbal é uma forma de representação da experiência. Ao ler e escrever é possível agarrar o sentido e corporificar melhor nosso pensamento.

**O leitor que você é define tanto a abrangência da sua visão de mundo quanto a sua desenvoltura para escrever.**

Seja qual for o texto a produzir (TCC, artigo ou um livro), há uma fase preliminar de estudo, pesquisa, coleta e organização, que depende da qualidade da sua leitura. É o momento de familiarizar-se com as regras da Associação Brasileira de Normas Técnicas (ABNT). Ao consultar os livros de referência e as páginas da web, anote, respectivamente, a fonte e a data da consulta.

Lembre-se de que, quanto mais informação houver, reunida e catalogada, maiores as chances de expressar argumentos e hipóteses. Para escrever com precisão, é necessário experiência e/ou conhecimento sobre a matéria. Nas palavras

**Tome notas completas de cada fonte: nome do livro ou do artigo, autor, página, editora e ano de edição. As referências eletrônicas também devem ser citadas.**

de Eduardo Martins Filho, ao ler é necessário digerir o que se leu e, a partir daí, cultivar o próprio estilo.

Em resumo:

- monte um planejamento de leitura;
- classifique-o por ordem de importância;
- reserve um tempo sagrado para ler;
- faça anotações;
- sublinhe com atenção as citações;
- consulte sempre as regras da ABNT.

### O MUNDO É NOSSA LIVRARIA

Steven Roger Fischer é autor de *História da leitura* (2006), que percorre a história e a evolução do livro. Um dos exemplos citados na obra é o sucesso de Charles Dickens (1812-1870), que tornou célebre a leitura pública. Curiosamente, o costume se instalou nas fábricas de charuto de Cuba, hábito levado para os Estados Unidos pelos imigrantes cubanos. De 1869 a 1920, "de manhã até a noite, enquanto estivessem trabalhando, escutavam a leitura de histórias, romances, jornais, poesias, ensaios políticos e muitos outros textos" (p. 252). Desse modo, segundo Fischer, a leitura em grupo tornou-se oportunidade de obter instrução, inspiração, aprendizagem e desenvolvimento.

Livros antes proibidos estão à disposição e, ao mesmo tempo, leitores antes marginalizados – mulheres, homossexuais, negros, exilados, entre outros – beneficiam-se, de maneira inédita, de um tipo de leitura confessional. Para Fischer, é a ocasião não apenas de acertar o passado e definir o futuro como também de compartilhar a diferença e se assegurar de que já não estão mais sozinhos.

Hoje, bombardeados de informação, somos parte de uma comunidade universal de leitores. "Quem sabe vivemos numa maré de informações, mas desde que nos sintamos 'conectados' como cidadãos da rede, já não parece mais que estamos navegando sozinhos. O mundo inteiro é nossa livraria", conclui Fischer (2005, p. 287).

## ORGANIZAR SUA OBSERVAÇÃO

Anotar ideias, trechos de livros, links de artigos, frases impactantes e, sobretudo, organizar a informação. Esse hábito de armazenar com fidelidade tudo que encontra de interessante e pertinente aos seus temas de interesse lhe será muito útil na hora de desenvolver seus textos.

Fidelidade porque você precisa anotar página, editora, autor, ano de publicação. No início, parece meio chato ou neurótico, mas, quando estiver escrevendo, vai agradecer à sua persistência e a seu hábito de registrar com afinco dicas e referências bibliográficas. Em algum momento essas informações serão úteis.

Experimente criar o hábito de anotar a lápis determinados trechos e espalhar *post-its* nos livros, organizando a leitura por ordem temática para facilitar o trabalho. Arquive frases subtraídas ao acaso ou da internet e não se esqueça de anotar religiosamente links e fontes de suas pesquisas.

Desfrute da intertextualidade: que tal clonar uma estrofe inspiradora e propor variações bem-humoradas, como se realmente fosse um diálogo entre textos? Se usar esse tipo de recurso, lembre-se de que terá de fazer as citações literais, indicando o nome do texto e de onde foi retirado.

O segredo é enriquecer-se com diferentes autores. Quem agradecerá serão seus leitores.

## CLÍNICA EMERGENCIAL

A *redação curta e criativa* é o sonho de consumo de qualquer professor universitário. Quando você é capaz de construir uma linha de raciocínio coerente, sente um grande alívio. Mas isso não basta. É necessário ser conciso e, ao mesmo tempo, criativo, o que exige treino Em suma, você precisa aprender a se posicionar como no Twitter: dizer muito com pouco. Além disso, surpreender, juntando palavras ou ideias insólitas para criar o novo.

Se você escrever diariamente um texto pequeno durante um mês, sentirá a diferença. Logo, treine um pouco cada dia para chegar mais longe.

Na hora de escrever, lembre-se de apagar qualquer contato com o mundo externo. Depois de deixar a criatividade fluir, revise com parcimônia. Verifique se pode cortar palavras, enxugar o texto e embelezar as ideias, cortando os excessos.

Ao contrário, se você normalmente diz muito com poucas palavras, por exemplo, abusando do "ok" para responder a perguntas, permita-se colocar no lugar de quem é o oposto de você. Então, deixe o gato subir no telhado. Capriche na contextualização.

**Um bom treino diário é escrever sobre qualquer tema, usando no máximo três parágrafos.** Seu cérebro se acostuma a fazer qualquer ginástica. Leia com cuidado redobrado, aprendendo com os escritores. Escreva pequenas cartas a eles. Comente suas ideias sem jamais perder o fio da meada: começo, meio e fim. Escreva sempre até que o início dos textos encante; até que o meio aponte sua inteligência e, por fim, que o desfecho surpreenda.

## ERROS MAIS COMUNS NO TCC

O primeiro deles é pagar um *ghost-writer* para fazer seu trabalho acadêmico. É sua melhor chance de aprender a pensar e a escrever. Não há nada mais edificante do que reunir seus esforços. Pouco importa o tamanho de sua dificuldade (real ou imaginária): persista.

E por falar em persistência, lembro-me de uma aluna que me ligou dizendo que queria fazer o curso Escrita Criativa. Ela fora alfabetizada tardiamente, aos 10 anos. Mudara-se muito jovem para São Paulo e passara a trabalhar como doméstica. Para complementar a renda, preparava congelados nos finais de semana. Depois de anos de esforço, estava finalizando a graduação em Gastronomia e queria apresentar uma boa monografia. Eu sabia que em tão pouco tempo ela não preencheria a lacuna ou a defasagem de aprendizagem. Mas ela captou o essencial. Aos poucos, ela passou a compreender o que era a interpretação de texto. Às vezes, me ligava para conferir o entendimento de um artigo. O que dificultava a interpretação era a prolixidade dos textos acadêmicos. Essa moça precisou de ajuda para melhorar o texto final. Contudo, fez muito mais do que eu e você faríamos. Paraibano vem ao mundo para brilhar.

O plágio é um dos pesadelos na hora de escrever. Quem disse aquilo? Tudo que se diz em texto acadêmico necessita de referência. Ideias da sua cabeça interessam a seus amigos. Para o TCC importa a fonte de onde obteve as informações. E a primeira observação nítida acerca do seu trabalho é a qualidade da sua pesquisa, da escolha dos autores. É fundamental discutir com o orientador e certificar-se de que autoridades no assunto nortearão seu universo teórico. E cuide para não plagiar a si mesmo, usando indevidamente material de outra pesquisa sem citá-la.

Muita gente nos procura, na Casa da Comunicação, alarmada com a pouca qualidade dos serviços oferecidos por empresas de "consultoria acadêmica" que pululam na internet. Em geral, o produto delas são manuscritos recheados de recorta e cola. Pior, carregados de ideias desconexas. Por isso, assuma a responsabilidade por sua vida acadêmica e lembre-se de que a argumentação é respaldada pela referência bibliográfica. Ou seja, fuja da colcha de retalhos.

A prévia organização das ideias em capítulos pode ajudá-lo a criar um eixo central. A partir deles, você desenvolve o texto, mantendo a conexão e a coerência entre as ideias. Não abuse de citações diretas muito longas. Opte pelas indiretas, que exigirão maior compreensão e exercício ao conectar ideias. É sempre preferível perceber seu entendimento a respeito do texto citado a ler trechos longos na forma de citação direta.

Outro erro comum diz respeito à falta de cuidado com as frases e parágrafos. Não se trata apenas de coesão entre eles, mas de se verificar se não há inversão da ordem que facilita o entendimento do texto.

Evite igualmente palavras pomposas, cheias de *glamour* e de pouco significado. Enxugue e subtraia adjetivos e sempre utilize o tom impessoal. Elimine palavras secundárias, acabando com a gordura do texto. Reveja o esquema inicial para discernir o território e seus limites . Assim, ficará mais fácil perceber se está fugindo ou não do tema.

Leia em voz alta para se certificar de que a junção de palavras não cria eco. Por exemplo: "O meio ambiente deve ser defendido acirradamente pelas correntes que acreditam no desenvolvimento de estratégias coerentes com a sociedade vigente..." Evite todo tipo de repetição. Certos efeitos sonoros afastam o leitor. Aproveite para substituir palavras repetidas por sinônimos.

Por fim, chega o momento da revisão gramatical, de pontuação, de concordância, da diagramação e das normas da Associação Brasileira de Normas Técnicas (ABNT). Hora de conectar conteúdo e forma.

Isso me lembra de uma pessoa que me procurou aos prantos, em fase final de dissertação. O fato de concluir o mestrado representava inúmeras superações. Justamente na época decisiva da entrega do trabalho, o mundo desabou aos seus pés.

Perdeu seguidamente o pai e a mãe. Sentia-se uma estranha no ninho em um ambiente pouco acolhedor como pode ser o mundo acadêmico. Pagou alguém para ajudá-la a elaborar o trabalho. Entretanto, na véspera da entrega, percebeu que havia muitos problemas, tanto de texto quanto de formatação. A pessoa que deveria fazer os ajustes finais "não tinha tempo". Aquela dissertação representava muita coisa. Foi um período de acolhimento e leitura. Leitura aos trancos e barrancos, leitura cheia de vocabulário insano. No fim deu tudo certo. Às vezes, o que se necessita é de um ponto final e um abraço.

Jamais entregue um trabalho sem submetê-lo a, no mínimo, um revisor de texto. De preferência, dois. Aproveite para receber um *feedback* honesto dos aspectos passíveis de melhora contínua. E, claro, peça ajuda e receba muitos abraços.

―

# 4

# A entrada no mercado de trabalho: foi dada a largada

> "A palavra não foi feita para enfeitar, brilhar como ouro falso; a palavra foi feita para dizer."
> 
> GRACILIANO RAMOS

**A juventude é mais** um ritual de passagem, que pode levar em direção à maturidade intelectual e ao desenvolvimento da competência científica. Tempo de autonomia na aprendizagem e na leitura de mundo, de perceber a relação dialética entre teoria e prática, de envolver-se emocionalmente nas atividades para aumentar as chances de um aprendizado real e duradouro. Tempo de diálogos reflexivos e abrangentes, da socialização do conhecimento; de se rebelar contra uma visão simplista ou reducionista e reconhecer a complexidade da vida. Tempo de incentivo à pesquisa e do domínio inteligente das tecnologias da informação, de conexão intelectual entre milhões de pessoas; da influência de redes – reais ou virtuais – sobre a inteligência do planeta inteiro. Tempo de centros urbanos abarrotados de pessoas e ideias, da colisão entre visões e especialidades, de ambientes que sugestionam nosso desenvolvimento individual.

## O TERMÔMETRO DA COMUNICAÇÃO

Quando o jovem ingressa no mercado de trabalho, vem o primeiro choque: perceber a lacuna existente entre conhecimento científico/técnico e prático. É preciso mobilizar conhecimentos, habilidades e atitudes. Enfrentar exigências e, sobretudo, entregar resultados excepcionais, dosando autodesenvolvimento e qualidade nas interações humanas.

No mundo organizacional, continuamos a idealizar algumas pessoas (exagerando seus aspectos positivos) e a nos identificar com quem partilha conosco alguma qualidade. Mas também somos obrigados a conviver com aquelas que gostaríamos de ignorar, as quais muitas vezes são alvo inconsciente de aspectos que ainda não aceitamos em nós mesmos.

**A tendência de se manter protegido em uma tribo – entre iguais – está com os dias contados.**

Assim, um dos maiores desafios é modificar comportamentos, aprender a se relacionar. Partindo da nossa capacidade de dialogar com as diferenças, seremos capazes de desenvolver a comunicação. Em outras palavras, serão requisitados os músculos emocionais e a habilidade de autoexpressão: conhecer-se e conhecer o outro.

## PERSEGUIR A QUALIDADE

Enquanto na conversa há vários sinais que nos ajudam a perceber quando é possível um grau relativo de informalidade ou aproximação, a modalidade da escrita, em si, impõe maior formalidade e distanciamento. Apenas palavras, sentenças, parágrafos encadeados e, no lugar de gestos sutis e da entonação, a pontuação.

O tom coloquial da mensagem para um amigo certamente é bem diferente do e-mail para o diretor da empresa. De acordo com a intenção e o propósito comunicativos, cada situação ou contexto determina recursos e padrões de linguagem.

**O antiveneno para a cultura da desatenção é o comprometimento ético com o comunicador que você é.**

O texto, de fato, é o lugar de mediação e construção de sentido. Assim como o indivíduo, o texto também se constrói, de maneira dinâmica, na interação com o outro.

Ou seja, nessa interação – essência da comunicação – se dá o sentido do texto. Por isso, quando cuida da linguagem, você cuida da relação com seu interlocutor/leitor.

## O QUE MAIS IMPORTA NA COMUNICAÇÃO?

O que é um bom comunicador? Dificilmente alguém pensará em espontaneidade, autenticidade, sensibilidade e aptidão criativa. Experimente fazer uma rápida sondagem: 99% das respostas giram em torno da clareza e da objetividade – ir direto ao ponto, sem rodeios. Na mesma proporção que se privilegiam as capacidades lógicas – pensamento racional, linear e coeso –, a criatividade e a inteligência emocional continuam relegadas a segundo plano. Será que isso funciona?

**Ao passo que algumas pessoas tremem nas bases quando devem se expressar em público, outras sofrem do famoso branco na hora de escrever.**

## A NECESSIDADE FAZ O MONGE

A redação é sempre obrigatória e decisiva. Por meio dela, ingressa-se no mundo do trabalho. Na reta final das entrevistas, tanto a produção escrita quanto o jeito de falar podem ser eliminatórios.

Esqueça os discursos prontos e as frases de efeito. O profissional de seleção de recrutamento, em princípio bem treinado, decifra o não dito, o grau de sinceridade e clareza, a insegurança. Os erros cometidos na fala se evidenciam na escrita e vice-versa, tanto quanto as gafes nas redes sociais permanecem como seu cartão de visita.

Em resumo, ao longo da vida profissional muita gente estará de olho na sua capacidade de elaborar apresentações, memorandos e relatórios. Igualmente, será levada em conta a desenvoltura ao partilhar ideias e interagir com os demais. A única escolha sensata é aperfeiçoar a comunicação em todas as dimensões.

## O CALCANHAR DE AQUILES

Qualquer diagnóstico ou pesquisa de clima aponta a comunicação como o ponto vulnerável de uma organização. Por um lado, não raro, os departamentos trabalham olhando apenas para o próprio umbigo, preocupados apenas em bater metas, cada vez mais estratosféricas. Além disso, problemas de bem--estar, relacionamento e comportamento são repassados ao RH. Este acaba ficando preso em uma teia de urgências, delegações, escuta e primeiros-socorros.

Em grandes empresas, treinamento de comunicação escrita ainda não é prioridade. E, quando acontece, visa muito mais a regras de concisão e de etiqueta digital. Claro que a escrita necessita desse olhar econômico, pois em comunicação "menos é mais". Contudo, além dos aspectos técnicos, urge entender a comunicação como um mecanismo vivo que, por meio dos valores organizacionais, fornece sentido e direção.

Já fui contratada por CEOs de empresa desejosos de dar um *upgrade* na alta liderança, por RHs em função de resultados de pesquisas e avaliações e

**Quem queremos ser e para onde vamos?**

até mesmo pelo departamento de Comunicação e Marketing. O que raramente acontece é todos trabalharem cooperativamente e de maneira estratégica e integrada para o mesmo fim.

## CÍRCULO VICIOSO

De nada vale o melhor escopo de treinamento do mundo sem que a liderança seja guardiã dos valores – portanto, da comunicação. Se não há tempo para conversar e recolocar o trem nos trilhos ou para investir na própria competência de se comunicar, nada mudará.

Acaba o treinamento, os velhos hábitos retomam a dianteira, os achados se perdem e as metas se desviam do bem-estar. É um círculo vicioso: você não tem tempo; as coisas importantes se tornam urgentes; você não percebe o que está acontecendo consigo e à sua volta; as insatisfações se acumulam e, por fim, as pessoas se ressentem da falta de bem-estar. Então o RH deve apresentar uma solução mágica que não existe.

*A sinergia entre áreas é a única forma de garantir uma cultura de comunicação.*

Tudo começa na percepção de que juntos somos mais criativos e inovadores, de que juntos alcançamos os objetivos estratégicos. As áreas de Comunicação e RH, ao lado da liderança, são o tripé nevrálgico da organização quando trabalham em sinergia.

## QUESTIONAMENTOS

O papel da liderança média, sem dúvida, é desafiador, pois recebe os impactos da alta liderança – será que realmente compreenderam o que lhes foi transmitido? Estará a alta liderança capacitada para se comunicar de maneira clara e objetiva? Supondo que sim, a média liderança deve digerir as informações antes de repassá-las. Amortecer o impacto das diretrizes e promover as mudanças necessárias. Responder às equipes sob seu comando e se antecipar. Permanecer no meio-fio, transmitindo confiança e coragem. E, em muitas ocasiões, colaboradores ou equipes estão dispersos. Resta mesmo a comunicação por escrito.

Será que a média liderança recebe treinamento adequado para redigir relatórios e comunicados? Se a média de leitura do brasileiro é de dois livros anuais, temos de torcer para que esses líderes fujam à regra e sejam melhores leitores de si mesmos. Torcer para que compreendam que sua comunicação é a voz da empresa, ou seja, dos valores que devem nortear a convivência. Por isso, cabe ao líder traduzir as diretrizes para suas equipes, como também reportar os resultados. Supõe interpretação e capacidade de articular o pensamento com clareza, de redigir motivado a se fazer entender.

Por outro lado, cada vez mais, equipes multidisciplinares de novos projetos devem filtrar e adequar a linguagem, comunicando, de maneira clara e objetiva, desafios e conquistas às suas respectivas áreas. Então um imenso relatório é produzido de maneira isolada, sem envolver nenhum departamento. E, quando falha a comunicação, a cadeia de processos e de produção é penalizada: projetos morrem na praia e informações se perdem – às vezes porque os textos dão lugar à ambiguidade, em outras porque o leitor não leu com a devida atenção. Surgem incertezas, descontentamento, retrabalho. Em suma, insatisfação.

Há pouco tempo realizamos um diagnóstico em uma empresa com 20 mil funcionários. Um dos tópicos mais relevantes que veio à tona, repetidas vezes, foi a necessidade de conhecer e de divulgar os processos. Conforme enfatizado, "o gestor só enxerga os números da sua meta". A falta de alinhamento entre líderes gera a percepção de que cada área tem uma filosofia de gestão (os critérios de promoção nunca são claros). Além disso, a falta de compartilhamento de boas práticas é responsável não apenas pelo retrabalho como pela desmotivação e pela improdutividade. As queixas podem ser resumidas assim:

*Falta compartilhamento de informação, dividir conhecimento e aquilo que você sabe.*

*A falta de comunicação é grande entre os setores. Não se compartilha conhecimento até por medo de se perder o cargo.*

Do mesmo modo, é comum a reclamação relativa ao festival de e-mails e reuniões sem o menor nexo com suas atividades. Então, cada área parece uma ilha que não se comunica com o continente, muito menos com as demais ilhas do arquipélago.

**Todas as mudanças estruturais precisam partir da liderança. Se não for um valor, não vai funcionar.**

Segundo o olhar das equipes e a percepção da liderança, grande parte da insatisfação está relacionada à ambiguidade da comunicação. Você diz algo e faz justamente o contrário. Aquele belo quadro de missão e valores se contradiz no dia a dia. Você prega a segurança no trabalho, mas os equipamentos das bases são da idade da pedra e as condições de trabalho, desumanas. Você dispara um programa de diversidade enquanto o seu *dress code* proíbe o esmalte vermelho e, de antemão, todo mundo sabe que as boas intenções de "inclusão" não vão se concretizar.

## A ESCRITA MORRE NA PRAIA

A verdade é que pouco se investe em treinamento de comunicação escrita. Por um lado, é como se a pessoa tivesse a obrigação de chegar à empresa preparada. Por outro, há uma questão de custo.

Por algum tempo, a Casa da Comunicação recebeu redações de processos de seleção e recrutamento para ser revisadas. Em comum, quase nenhuma pontuação, concordância ou clareza. Em seguida, passamos a atender estagiários que hoje são líderes no mercado. Aqueles que mais se destacavam, oriundos dos melhores colégios, falavam com desenvoltura. Porém, na hora de preparar os *slides* da apresentação, não tinham a mínima ideia de como transformar o texto em itens ou de como trabalhar com tópicos frasais.

Com o passar do tempo, as empresas me reservaram o treinamento da alta liderança. Em geral, grande parte dos executivos comete os mesmos erros, a mesma inadequação de linguagem: ora textos rebuscados e prolixos, ora tão enxutos que faltam dados complementares para o entendimento da mensagem. Pior: a falta de pontuação dificulta a compreensão.

Ainda que as empresas invistam em treinamento de comunicação, o foco é muito mais técnico, ou seja, você aprende um conjunto de regras ou dicas para saber como proceder, passo a passo.

Felizmente, as exigências do mercado obrigam as empresas a rever suas práticas. Em tese, existe o consenso de que qualquer programa deve ser elaborado, revisto e atualizado com base nos valores que a empresa e os líderes praticam no dia a dia. Vejamos alguns depoimentos: "Os líderes precisam viver isso, eles precisam mostrar com o próprio exemplo"; "Falta a participação efetiva dos líderes".

**Para se comunicar bem, é preciso transparência e alinhamento. São necessários processos claros, regras transparentes: justiça e equidade.**

Ou seja, qualquer programa necessita estar imbricado (e jamais descolado) aos objetivos estratégicos da empresa. É essencial ter claro que não se trata de fim em si mesmo; ao contrário, deve ser somado às demais práticas, mediante planejamento prévio, consensual e adequado.

## DESENVOLVIMENTO E APRENDIZADO

O aprendizado, na infância, desperta vários processos internos de desenvolvimento. Do mesmo modo, a prática comprova que também no ambiente organizacional, quando as ações e o aprendizado se dão por meio da interação com os demais – sobretudo ao se promover a sinergia entre os líderes –, a cooperação entre eles permite um avanço sem precedentes.

Para tanto, é necessário que a liderança internalize a cooperação como meio para resolver os desafios de relacionamento interpessoal. Nesse sentido, quando a liderança promove a união de esforços, o resultado imediato é um terreno fértil para a criação de soluções criativas e eficazes de comunicação. Cada líder deve levar para a sua equipe o desafio de legitimar ações e procurar novas e melhores soluções para os problemas diários de comunicação. Trata-se de cada colaborador tornar-se sujeito da ação de comunicar.

Em vez de supervalorizar a falta de verbas ou o auxílio das consultorias externas, promover a integração das áreas e da própria equipe. Ações simples como rodas de conversa e de leitura, por exemplo, despertam o interesse pelo conhecimento linguístico e discursivo. Práticas sociais mediadas pela linguagem estimulam a competência linguística. Em vez de afixar os

**Não há forma mais salutar de comunicação do que a troca de experiências e de boas práticas.**

valores na propaganda institucional, propor debates e relatos sobre o significado deles nas atividades laborais permite a internalização e a partilha de dúvidas e *insights*.

Por meio da elaboração dos relatos, da forma de se comunicar em relatórios, e-mails ou mensagens, no fundo, o grande aprendizado é perceber que estabelecemos laços contratuais. Ou seja, interagimos, nos influenciamos, nos compreendemos ou nos distanciamos.

Trata-se de enfatizar a partilha e o modo constante por meio do qual expressamos nossa maneira singular de enxergar e sentir o mundo, de atuar nele. A linguagem é elaboração. É a forma como organizamos e informamos nossas experiências, construímos o pensamento, promovemos a ação coletiva.

A escrita é uma habilidade não espontânea que requer um longo aprendizado. Quando associado à imaginação, ao jogo, ao prazer e à criatividade, permite, em tempo recorde, o desbloqueio e a desinibição. Esse é o primeiro passo para superar os entraves da autoexpressão. Contudo, assim como o ginasta precisa de muito esforço e concentração para flexibilizar e fortalecer o corpo, o texto também é resultante de um duro treino e do hábito de leitura.

Faltam ações educativas de longo prazo que minimizem as lacunas de comunicação. Urge mobilizar os indivíduos para que discutam e se comprometam com o propósito de vencer barreiras e distâncias. Não existem soluções instantâneas de longa duração.

## UTILIDADE

Vejamos resumidamente algumas regras básicas da comunicação nas empresas. A primeira delas é se perguntar se a informação é relevante. Se duvidar, certifique-se se você tem clareza do objetivo da mensagem. Se a resposta for afirmativa, esboce as ideias principais, as alternativas e soluções. Faça escolhas a fim de manter coerência cronológica e as ideias absolutamente imprescindíveis. Contextualize. Demonstre com números, gráficos, *cases*. Deixe apenas o que é relevante e preste atenção à introdução, ao eixo central e à conclusão.

Assuntos delicados exigem planejamento do discurso.

- O que você quer gerar com essa mensagem?
- Qual é seu objetivo específico?
- Quem é o destinatário?
- Está usando a forma adequada de se comunicar?
- Deixou claro o que o outro precisa ou espera saber?
- O que ele não sabe e o que já sabe a respeito?
- Qual é o contexto?
- O tema é bombástico?
- O momento é difícil?
- O que você espera do seu leitor/interlocutor?

| ANTES DE ESCREVER | DEPOIS DE ESCREVER |
|---|---|
| O que será dito | Reveja o que foi escrito uma, duas ou quantas vezes forem necessárias |
| Como será dito | Ajuste, incansavelmente, o texto à intenção pretendida e à compreensão do leitor |
| Para quem será dito | Faça uma revisão ortográfica e gramatical |
| Quem dirá | |
| Quais serão as finalidades comunicativas envolvidas | |

Veja a seguir mais algumas dicas.

**Nada de intimidade:** mesmo sendo um colega de trabalho, não importa, você está em um ambiente corporativo. Até se adequar à cultura, não cometa excessos. Você pode, de acordo com o interlocutor, escrever como fala, desde que não exagere na informalidade. Tampouco comece formalmente para terminar com um abraço ou com *emojis*. Eles podem ser detectados pelo servidor e ir direto para o *spam*.

**Não exagere:** por que parágrafos longos? Se o assunto requer tantos pormenores, prefira conversar; do contrário, vá direto ao que interessa. Se você já disse o que, por que, como e quando, cuidado. Seu interlocutor pode se perder no excesso de detalhes. Enxugue as palavras e prefira frases curtas. Apare as arestas.

**Destinatário:** em caso de e-mail, evite a cópia oculta ou copiar a mensagem para muitos destinatários. Se falta confiança, cuide do relacionamento e seja ético. Minimizar desconforto é bom senso, reforçá-lo é sinal de imaturidade. Aliás, jamais use o e-mail da empresa para assuntos pessoais. Separe as coisas.

**Grafia:** preste muita atenção à grafia do nome da pessoa e da empresa! Até mesmo os erros de digitação ou de ortografia podem ser considerados desleixo.

**Abreviações:** não, você não deve abreviar as palavras em hipótese nenhuma. Acostume-se a digitá-las.

**Educação:** letra maiúscula é considerada grito, uma enorme gafe. Ao pedir um favor, mantenha as regras de etiqueta. As palavras mágicas, *por favor* e *obrigada(o)*, são essenciais para a saúde das relações.

**Checape:** você está muito bravo? Não envie a mensagem. Nosso estado emocional acaba transparecendo. Deixe para o dia seguinte. Na hora da raiva, use o termômetro da precaução.

**Releitura:** antes de enviar a mensagem, faça um rascunho. Respire fundo e releia com o máximo de atenção possível. Corte frases longas e repetições, elimine adjetivos e superlativos, confira e atualize o assunto, a diagramação, a fonte e o espaçamento entre parágrafos. O objetivo é facilitar a leitura. Hora de consultar o dicionário para buscar sinônimos, conferir a clareza das ideias. Cuidado com a ambiguidade. Se você quer pedir um aumento, não declame um rosário. Verifique se o objetivo da mensagem está bem explícito. Prefira a simplicidade. Corte gírias, rimas e fuja dos termos técnicos. Certifique-se de eliminar tudo que possa dificultar o entendimento do leitor (veja o quadro "Cuidados com a releitura", p. 64).

**Eleja os relatórios:** eles são a forma mais adequada para reunir e organizar informações. Eles fornecem dados suficientes para analisar o desempenho em uma situação, verificar o que foi feito de correto e o que está errado. Permitem a elaboração de um reposicionamento visando a melhores resultados futuros.

**Informações:** apresente fatos completos e atuais. Eles devem alimentar os processos de decisão. Logo, permitem identificar oportunidades e tomar medidas corretivas ou que minimizem o impacto das variações que podem afetar os resultados esperados. Daí a importância da agilidade e da atualização constante, ou seja, o suporte de um adequado sistema de informações.

**Gráficos:** além da importância de um texto conciso e objetivo, cuide da apresentação de gráficos, sobretudo em relatórios ou no Power Point (PPT). Utilize, por exemplo, uma seleção de cores com o intuito de tornar o conteúdo mais intuitivo: verde para indicar estabilidade; amarelo para fatores que requerem atenção; vermelho para indicar problemas; e preto para fatos altamente críticos. Contudo, certifique-se de que cada dado ou gráfico seja absolutamente necessário. O que não for relevante pode ser transformado em anexo ou apêndice para leitura posterior.

**Aspectos visuais:** são tão essenciais quanto o conteúdo. Além de ajudar a organizar e dar ênfases à informação, dão fluidez ao texto, tornando a leitura mais agradável. Daí a importância de você aprender regras básicas:

- escolha uma única fonte legível e, em vez de usar um festival de fontes, aumente o tamanho dos títulos;
- coloque sempre as imagens na mesma posição e siga um padrão equilibrado, lembrando que o olho gosta de repetição;
- não use muitas cores, exceto as que podem ser úteis nos gráficos;
- crie parágrafos, lembrando que eles facilitam a ênfase e a fluidez da leitura.

Quanto tempo? Seja direto e sucinto. Pensar estrategicamente é condição para que você produza um texto/relatório que cative a atenção dos demais. Seja objetivo ao explicitar os argumentos.

## CUIDADOS COM A RELEITURA

| | |
|---|---|
| Clareza | Facilite a compreensão do texto. Afinal, o que se pretende é que você se faça entender pelo leitor. Evite palavras desnecessárias ou rebuscadas, bem como períodos longos. |
| Objetividade | Elucide apenas o que é fundamental, por meio de uma ordem lógica, coerente. Reformule ideias confusas. |
| Concisão | Priorize a forma direta e resumida, comunicando apenas o essencial. Escape do que é desnecessário e secundário. |
| Coerência | Certifique-se de que o encadeamento de frases e parágrafos contribua para o objetivo do texto. Procure sempre manter a ordem cronológica dos fatos. |
| Adequação no tratamento | Opte pela boa educação, pelo respeito e pela formalidade, sobretudo em relatórios corporativos. |
| Revisão | Revise atentamente ortografia, acentuação, concordância, pontuação. Leia o texto repetidas vezes e consulte o dicionário. Nunca envie nenhum comunicado escrito sem relê-lo e antes de cortar excessos e corrigir erros de digitação e de diagramação. |

# 5

# *Coaching* literário: destravando as ideias

---

### ERA UMA VEZ

**Em 1974, Timothy Gallwey** publicou *O jogo interior do tênis* (2015), até hoje considerado um marco na área do esporte. Segundo o autor, durante a partida de tênis, existe um jogo interior que se desenvolve na mente do jogador, no qual o adversário é ele mesmo.

Para Gallwey, resultados surpreendentes dependem de quanto o aprendiz facilita o processo natural de aprendizagem e, ao mesmo tempo, esquece as autoinstruções da jogada. Dessa maneira, a partir do esporte, nasce o conceito pós-moderno de administração, denominado *coaching*.

Curiosamente, de acordo com Chiavenato (2002), os primeiros preparadores técnicos esportivos surgiram na Grécia, na época e por influência de Sócrates (470 a.C.-399 a.C.).

Na atualidade, o *coaching* auxilia a aprendizagem contínua da organização, atendendo a necessidades emergenciais em função das mudanças progressivas no mundo dos negócios. Além de apoiar os líderes, cumpre o papel de auxiliar os jovens talentos na adaptação ao ambiente corporativo, auxiliando-os no entendimento dos diversos códigos e no desenvolvimento de competências.

## DESFAZENDO O MITO

O mote "produzir mais com menos", desde a década de 1980, assevera o crescimento extraordinário do *coaching* no mundo inteiro, no intuito de identificar os fatores impeditivos ao máximo desempenho. Desse modo, por meio de abordagens da psicologia positiva, da neurolinguística e da neurociência, o papel do profissional (*coach*) é apoiar o cliente (*coachee*) no processo de mudança. Em suma, controlar estados mentais e criar novas sinapses, garantindo a efetivação das potencialidades.

O que significa a obsessão por alcançar o pódio? Metas irreais exigem super-heróis. Alguns serão selecionados, enquanto outros, excluídos. Excessos no discurso que privilegia o resultado em detrimento do indivíduo e dos laços sociais. Como a cobrança é intensa e o mercado "não perdoa", a obsessão pela *performance* aumenta e a pressa de obter êxito impede o tempo de elaboração do ser sujeito, induzindo-o a uma superficialidade preocupante.

Em consequência, como provas de sucesso, o homem alardeia o estado de felicidade obrigatório e a aversão crônica ao sofrimento. Será que compensa pagar o preço da alienação e da superficialidade? – questiona a psicanalista Bianca Damasceno.

Segundo Freire Filho, citado por Damasceno, a problemática da prática do *coaching*, longe de ser metodológica, é ideológica. A favor de uma vida bem-sucedida, as pessoas correm o risco de embrutecer as opções existenciais, minimizando, portanto, a perspectiva ética.

E qual é o papel do *coaching* literário nesse contexto? É o que veremos nos tópicos a seguir.

## ATITUDE DE QUALIDADE

O ser humano deseja exercer suas escolhas e ser reconhecido como único/singular. Realizar o melhor de si, no entanto, não depende de equação matemática e sim do estreitamento da relação consigo mesmo.

"Sim, eu quero escrever" implica o fortalecimento da disciplina espontânea – aquela que depende não de exigências ou estímulos externos, mas resulta de escolhas e da própria determinação. São necessárias altas doses de persistência. Dedicar-se com afinco para driblar incertezas. Ler e escrever com atenção redobrada. Afinal, não basta ligar o piloto automático, muito menos fazer qualquer coisa, e sim a melhor coisa possível nesse momento.

Diante de estímulos de toda sorte, incorporar a atitude de qualidade (e ética) é uma valiosa vantagem competitiva. O importante é escolher uma área de pesquisa que o mobilize integralmente.

Rastrear ideias não somente de forma objetiva e simplista, como também de maneira coletiva, reflexiva e participante. A única garantia está no olhar de descoberta do seu gênio criador.

## ONTOLOGIA DA LINGUAGEM

O biólogo chileno Humberto Maturana desenvolveu a teoria denominada biologia do conhecimento, que serve de premissa para a ontologia da linguagem. Para ele, os seres humanos são essencialmente observadores do mundo. O indivíduo, por meio de uma troca constante entre corpo, linguagem e emoção, dá o sentido peculiar à situação, criando interpretações que determinam seu comportamento.

O *coaching* ontológico vai atuar em um desses três domínios e, ao mudar um deles, os demais também se transformam. Visto que nem sempre o que fazemos está em conformidade com os objetivos almejados, o propósito subjacente é aumentar o campo de percepção e, de modo simultâneo, o das nossas ações. Ser um observador diferente. No fim de contas, o que se observa é percebido a partir da pessoa que é capaz de ser naquele momento.

## PROTAGONISMO: ARREGAÇAR AS MANGAS

Dependendo de como se relata o ocorrido, poderá se explicar de maneira tranquilizadora ou generativa. As explicações tranquilizadoras são aquelas em que me declaro inocente. Responsabilizo os demais e acabo fechando qualquer possibilidade de ação. Ao me colocar como mera vítima das circunstâncias, de antemão, sinto-me impotente. Na qualidade de espectador, não sou capaz de fazer grande coisa para mudar a situação. Não sou parte do problema, tampouco da solução.

Vou alegar, por exemplo, que não tenho tempo de estudar nem de pesquisar; que nunca fui muito bom em redação, porque os professores eram lastimáveis; que não consigo ler porque os livros são muito chatos, ou porque meus pais nunca estimularam a leitura. Nessa perspectiva, a "culpa" recai sobre terceiros.

Já nas explicações generativas, ao ser parte do problema, a pessoa também se enxerga como parte da solução. Responsabilizar-se cria possibilidades de ação. O verdadeiro protagonismo, em vez da postura de vítima, implica arregaçar as mangas para alcançar um resultado diferente.

Primeiro é preciso se confrontar com o estágio atual, suas dificuldades e o grau de necessidade ou vontade de escrever. O próximo passo será encarar os erros ou desvios de rota como oportunidades de aprendizado.

A etapa seguinte diz respeito às metas e à definição

**Este é o papel do *coaching* literário: arregaçar as mangas, elaborar um planejamento tendo em conta autossabotagens e crenças – em suma, a maneira de pensar a escrita. É esse o grande questionamento: você topa se reinventar?**

clara, objetiva, sólida e coerente com o que foi estabelecido. Significa olhar com maturidade, assumindo o compromisso consigo mesmo de ler e escrever mais e melhor.

Por fim, o aprimoramento da escrita requer um conjunto de conceitos – informações e habilidades – que devem ser apreendidos, treinados e certificados. Tudo isso leva tempo, exige vontade e muita disciplina.

Pronto para começar?

**SER UM OBSERVADOR DIFERENTE**

Preste atenção às seguintes frases:

*Escrever é difícil.*
*Tem dias em que não estou nada criativo.*

Qual é o sujeito? De quem estou falando? Da escrita? Da criatividade?

Se me aproprio da minha opinião, posso dizer: *"Minha opinião é a de que escrever ou criar é difícil".*

Posso ainda revelar verdades essenciais por detrás das minhas formulações: *"É difícil para mim escrever ou criar".*

Nessa segunda versão, não falo da escrita nem da criatividade, mas de mim mesmo. Defino não o sujeito ou a coisa em si, mas minha relação com essa questão. O desafio preliminar é dar-se conta das crenças limitantes que interferem na sua relação com o aprendizado da escrita.

O primeiro passo, por conseguinte, é ser um observador diferente. Quando me torno responsável, passo a ser cocriador da realidade, assumindo o poder de oferecer novas respostas.

Vejamos o exemplo a seguir:

B1 ──────────────────────────────► B2

Enquanto B1 representa *o que sei, o que posso, o que tenho*, B2 é *o que não sei, o que não posso, o que quero*.

A função do *coaching*, por meio do estímulo a novas respostas e novas ações, é que você desenhe a própria vida, o próprio destino. Que diminua a brecha entre esses dois pontos: aprender para fazer; ser criativo para se reinventar.

## IDENTIFICAR BRECHAS PARA TRAÇAR METAS

Imagine um texto (T1) que você acaba de escrever com muita fluência e rapidez. Quase perde o fôlego ao ser atropelado pela tempestade de ideias. Você relê dezenas de vezes e sente que é sua obra-prima, porque colocou o coração, a experiência ou o conhecimento – quer dizer, seu melhor.

Como aperfeiçoar a escrita e chegar a T2 – um texto ainda melhor? É fundamental o hábito de leituras e revisões atentas do próprio texto. Reescrever até alcançar o ponto certo. Sanar imprecisões, refinando o estilo.

O primeiro passo é checar se há problemas que possam dificultar a compreensão ou a leitura, entre eles:

| CHEQUE SEU TEXTO |
| --- |
| Frases truncadas, que pulam abruptamente de um assunto a outro. |
| Parágrafos longos, exageradamente complexos. |
| Palavras e ideias repetitivas. |
| Frases feitas e jargões. |
| Problemas de pontuação. |

Se você ainda não tem muita clareza do que deve aprimorar na sua escrita, experimente, uma vez trabalhado exaustivamente o texto, submetê-lo a outra pessoa. A visão externa de quem não está envolvido com o processo criativo é fundamental.

## QUANDO O TEXTO NÃO ENCANTA

Às vezes, surge um problema que ninguém além de você pode resolver: abordagens desinteressantes ou superficiais, como aqueles *posts* triviais das redes sociais. Ainda que o português seja politicamente correto e a pessoa escreva com fluência, falta garimpo: profundidade nas pesquisas, ousadia nas analogias, exercício do pensamento divergente, fluência e originalidade. Em suma, falta tornar-se um verdadeiro pescador de ideias.

De repente, você tem uma ideia genial. Coloca maracujá no purê de mandioquinha e a receita se torna uma das favoritas de seus amigos. Sucede, no entanto, uma ocasião em que os ingredientes são os mesmos, mas o purê fica absolutamente insosso. Faltou *algo mais*. Igual ao ator que repete a mesma apresentação em público e a cada vez necessita encontrar dentro dele *algo mais* que torne aquele momento único. O purê e qualquer texto também precisam do eureca para emergir com força e equilíbrio.

Às vezes, comovido com sua experiência, o autor nem se preocupa em trabalhar as ideias. Perde a oportunidade de perseguir o refinamento e a clareza. Acontece igualmente de o texto estar pesado, carregado de clichês. Não há surpresas linguísticas ou construções sonoras que encantam os ouvidos. Nem as melhores intenções compensam a pobreza de linguagem.

## O LABIRINTO DE IDEIAS

Existem várias maneiras de chegar a algum lugar. Você pode traçar a linha reta ou fazer pequenas paradas para elucidar algumas ideias e, metodicamente, construir o significado.

Durante sucessivas releituras, no entanto, é necessário verificar se o caminho não está demasiado tortuoso.

**Frases e parágrafos curtos, enxutos, não apenas facilitam a compreensão como são mais impactantes.**

Às vezes, a pessoa se perde em explicações, a ponto de confundir avenidas com ruas secundárias, e a leitura se transforma em um labirinto de redundâncias.

## ARIDEZ INTELECTUAL

Alguns textos científicos caracterizam-se pela aspereza e, em lugar de dizer as coisas de modo simples e direto, optam por termos difíceis. Esse tipo de linguagem, quase pedante, peca pelo uso excessivo ou repetitivo de palavras que comprometem a compreensão, empobrecendo a argumentação e, por conseguinte, afastando o leitor.

Vejamos, por exemplo, o caso de Kurt Lewin (1890-1947), brilhante pesquisador do início do século XX e precursor do termo "dinâmica de grupo". No livro *Princípios de psicologia topológica* (1973), lançado originalmente em 1936, Lewin, por meio da física, elucida a maneira pela qual os indivíduos se comportam em relação ao meio.

Naquela época, um dos maiores desafios era que seus argumentos visionários, em favor da emergente psicologia social, fossem levados a sério. O duelo, até hoje, é encarar os termos técnicos dessa obra, bastante complexa.

Por outro lado, Lewin produziu diversos artigos palatáveis e absolutamente atemporais. O conjunto de sua obra é essencial para quem trabalha *em* e *com* grupos ou almeja discernir os mecanismos multiculturais.

A leitura dos escritos de Lewin demonstra que é possível abordar temas sérios com simplicidade e clareza. Para tanto, é necessário evitar excessos verborrágicos nos textos acadêmicos. Questionar a supervalorização dos aspectos lógicos como se eles não pudessem conviver – lado a lado e pacificamente – com os aspectos criativos. O assunto pode ser sério, mas a linguagem não precisa ser sisuda!

## O PECADO DE NÃO LER O MUNDO

Por outro lado, no extremo oposto, em função da falta de leitura – e, portanto, de vocabulário e informação –, qualquer tentativa argumentativa é em vão. Redações de vestibular trazem exemplos hilários que viram piada nas redes sociais. Às vezes, falta ao estudante um mínimo de capacidade de concatenar as ideias ou de ordenar o pensamento. Por outro lado, se o indivíduo não tem o que dizer, nenhuma regra vai ajudá-lo.

Então, expressar-se implica conteúdo, senso de observação dos fatos e disciplina do raciocínio. Escrever é pensar, instigar a leitura crítica do mundo, transitar, simultaneamente, entre pensamento divergente e convergente. Dessa maneira, a brecha entre T1 e T2 jamais será minimizada sem o comprometimento integral que favoreça o protagonismo das pessoas, a criatividade e o livre pensar.

O pedagogo Paulo Freire aponta a leitura essencial que vai além do entretenimento ou da memorização. Uma leitura que nos possibilita ler o mundo, ler a palavra e as visões de mundo anteriores à nossa. Essa busca da compreensão do lido exige, diante do livro, ser sujeito da própria curiosidade, sujeito da leitura, engajando-se numa experiência criativa em torno da compreensão.

## PREENCHENDO LACUNAS

Exceto no caso das pessoas que sofrem do famoso branco, é muito habitual a "cegueira", a dificuldade de perceber aspectos a melhorar no próprio texto. Daí a importância de monitorar as etapas de aprendizagem, escaneando e investigando eventuais lacunas. E, sobretudo, adquirindo parâmetros para aprimorar a competência linguística.

Assim como nenhum esportista consegue avanços sem esforço concentrado, a fim de desenvolver a escrita, uma vez identificados os *gaps*, você também necessitará estabelecer prioridades e detalhar ações. Somente um conjunto de ações interdependentes pode aperfeiçoar seu olhar.

A seguir, algumas sugestões que beneficiam a escrita a qualquer momento:

- técnicas de escrita criativa (Di Nizo, 2008);
- crítica construtiva dos demais (*feedback*);
- leitura de textos de outros alunos/aprendizes, enxergando brechas e aprendendo com seus pares;
- leitura de livros, identificando características de uma boa escrita e introjetando conhecimento linguístico;
- prática da escrita, equilibrando pensamento convergente e divergente, ou seja, capacidade de criar e talhar o diamante bruto da criatividade.

Em resumo, para se chegar do texto atual (T1) ao texto desejado (T2), o próprio autor necessita, por meio de repetidas leituras, desenvolver o olho acurado. Corrigir e reescrever, tendo novas e melhores ideias, aberto a aprimorá-las. Talvez, por exemplo, passe um período simplificando frases e parágrafos, aprendendo a criar o elo entre eles. E, assim, passo a passo, vai superar e definir novos desafios. Por esse motivo, são necessárias metas claras a cada fase do aprendizado.

**Deixe na sua trajetória um legado e, nas páginas em branco, o seu melhor.**

Acima de tudo, muita leitura: estar atento à construção linguística e, concomitantemente, ao encanto das palavras. Expressar o singular e o diverso. Dar livre curso à criatividade, que nos livra da mesmice. A escrita abre possibilidades do vir a ser. Sempre que alguém se reinventa ou se comunica com o mundo, abre uma janela.

# Aprimorar o olho

**6**

"**Eu sabia pouco, queria** muito e não conseguia nada." Essa é uma das primeiras frases do norueguês Karl Ove Knausgård no livro *A descoberta da escrita*. Ove explica os embates que vivenciava quando se sentia incapaz de superar os clichês, a imaturidade dos primeiros textos. Escrever se transformava em uma derrota diária, até que foi possível compreender de onde nascia sua poderosa escrita.

Eu, simples mortal, uma vez treinado o jorrar de ideias, quando pensava haver descoberto o mapa do tesouro percebi que o caminho era tortuoso. Não bastava a ideia em si, mas a construção do texto. É como ter noções básicas de cozinha e jogar tudo na panela, achando que vai obter um manjar. Não, você precisa conhecer os temperos, a consistência dos alimentos, o tempo de cozimento, como combiná-los. E, mesmo sem ser um chefe de cozinha, experimentar o prazer indescritível ao degustar cada alimento. Com a escrita funciona da mesma forma.

Em concursos públicos, vestibulares e provas em geral exigem-se textos informativos (nada de opiniões) ou argumentativos (defesa de pontos de vista). Pressupõe-se o desenvolvimento tanto da habilidade de escrever quanto da prática de leitura.

Como vimos ao longo do livro, raras vezes a pessoa se atém à leitura integral de um artigo de opinião, de uma crônica ou de um livro. O mais comum é se bastar com imagens e letras garrafais. Sem contar que algumas pessoas levam mais tempo. Enquanto meu irmão logo que entrou num carro saiu guiando, só me atrevi a pilotar aos 30 anos. Meu medo era atroz. Da mesma forma, meu aprendizado tardio da escrita é visível até hoje. Que o diga minha editora quando lhe envio textos complementares sem ter tido tempo de maturá-los.

O mesmo ocorre com os demais aprendizados. Quando você toma a decisão de aprender algo, o processo envolve várias partes e processos do cérebro. Quando tentamos metaforicamente dizer que nosso crítico interno se situa do lado esquerdo do cérebro, de fato estamos recorrendo a uma alegoria imagética para colocar ordem no caos reinante. Embora se possa afirmar que existe certa dicotomia e diferenciação entre os hemisférios cerebrais, a comunidade científica não validou a dominância e o comando de um deles.

Falta de informação à parte, vivemos a era das 15 dicas, dos 12 passos... Queremos dicas práticas para lidar com a angústia reinante da nossa existência. Eu faço um esforço sobre-humano para organizar metodicamente certos aprendizados que, de fato, acontecem de maneira simultânea. Eles exigem esforço concentrado, além de perseverança e sensibilidade aguçada.

Muitos adultos não tiveram a oportunidade de "brincar" com as palavras e, por conseguinte, desfrutar do privilégio e da responsabilidade de assenhorar-se delas, permitindo-se experiências significativas do mundo letrado. Então, eu os convido a fazer esse exercício. E o primeiro passo é aguçar o olho...

### PRÉ-ESCREVER

**Conhecer o assunto.** A premissa é o prévio conhecimento, proveniente da cultura e/ou da investigação. Até mesmo quem produz literatura não se exime de uma criteriosa pesquisa: objetos, personagens, hábitos, vestuário, geografia etc. Aliás, quem não é escritor pode se tornar colecionador (de ideias, costumes, palavras...).

**Delimitar o tema.** É a fase de definir – sem devaneios –, por meio de análise lógica racional, atributo do lado esquerdo do cérebro, o que pertence e o que não é pertinente ao universo temático. Você define aqui o assunto que vai nortear sua redação.

Se você sabe aonde quer chegar e digita esse endereço no GPS, o aplicativo propõe rotas alternativas; avenidas principais se tornam referências e você escolhe que rota seguir. Da mesma forma, ao escrever sobre um tema, o cérebro aciona palavras-chave que abrem múltiplas possibilidades. Surge o **mapa mental** (p. 114) com troncos e galhos. Cada tronco é um caminho possível.

### O MAPA DO MEU TERRITÓRIO

É chegado, então, o momento de fazer escolhas. Decidir que avenidas percorrer, a fim de desenvolver os argumentos. O mapa conceitual, variante do mapa mental, por meio da representação visual, por exemplo, permite analisar o conceito e suas múltiplas relações.

A palavra colocada no centro do mapa oferece variáveis que sintetizam escolhas semânticas, carregadas de significados. Obtém-se o panorama geral do tema principal, bem como ramificações que podem representar capítulos e subitens. Nessa etapa, por meio de análise, é possível delimitar o universo da tese, excluindo e definindo os tópicos principais de desenvolvimento. Ainda que as ideias possam ser ampliadas, esse roteiro predefinido, de modo geral, ajuda a nortear a etapa de redação do texto.

Algumas pessoas preferem elaborar listas até encontrar o campo específico, absolutamente cômodo ou motivador. Além disso, gráficos contribuem para estabelecer e organizar relações entre conceitos e dados, estruturar e representar a informação de maneira mais concreta, garantindo uma direção.

Dito de outra maneira, somente a partir de limites bem definidos inicia-se o turbilhão de ideias. O cérebro direito poderá desviar-se, sabendo em que direção seguir.

## IMPREGNAR-SE DO TEMA

Ao iniciar o projeto de escrita – que pode ser artigo, livro ou simples redação –, uma vez definido o tema, chega a etapa de impregnação: colocar na mesa os itens disponíveis, reunindo e analisando informação. É o mergulho nos fatos, dados, recortes, resumos, pesquisas. Por isso, assim que definir o assunto, comece a pesquisa imediatamente, de maneira regular e sistemática. Junto com ela, se for o caso, o mergulho na bibliografia também necessita de constância, ritmo e organização.

De acordo com as características pessoais e o perfil de aprendizagem, ao longo do tempo, desenvolvemos métodos de trabalho. Há pessoas que preferem esquemas minuciosos que previamente organizam a informação disponível. Outras, no entanto, depois de muito ler e pesquisar, em processo de escrita rápida, preferem exaurir o processo de tempestade de ideias. Nesse caso, a análise e a organização dessas ideias acontecem na etapa posterior.

## PREPARAR O ESTADO MENTAL

Assim como você se prepara adequadamente para uma maratona ou um concurso, a sugestão é experimentar o estado mental apropriado antes de elaborar textos. Algumas atividades corporais, jogos verbais e técnicas com o suporte de imagens ativam a imaginação, impulsionando o processo criativo. A visualização mental, por exemplo, prepara o encontro com analogias insólitas e faz emergir a capacidade inventiva.

Cabe a você, por outro lado, discernir o que mais lhe convém em cada ocasião. Caso esteja ultra-ansioso ou agitado, o relaxamento vem em boa hora; ao contrário, se estiver com baixa energia, um bom exercício aeróbico ou prática marcial despertará seu corpo e sua atenção. Em seguida, terá ânimo suficiente para qualquer atividade, mantendo a mente em estado de alerta e vigília.

## HORA DO RECURSO LÚDICO

Depois de ler e pesquisar, quando você delimitou o tema e se apropriou de informação e inspiração suficientes, chega a hora de dar trégua ao pensamento cartesiano e, por meio de algum recurso lúdico, exercitar o devaneio – espaço não verbal, de imagens, sensações e emoções –, adotando uma postura sensível. Na fronteira quase onírica, as técnicas de criatividade auxiliam a pensar por imagens, processo similar à linguagem própria das crianças.

Ao mesmo tempo, o ideal é alimentar o imaginário com boa leitura, bons filmes e tudo aquilo que atice a curiosidade, o senso estético, a ginástica intelectual e a prontidão para o novo. O contato com a natureza ou qualquer outra forma de relaxamento é igualmente bem-vindo. Há, ainda, quem prefira ligar o som ou a TV.

**O PRAZER DE ESCREVER**
- crie um ritual diário para ler e escrever;
- prepare o ambiente mental;
- aqueça a imaginação mediante uma técnica de criatividade (veja o Capítulo 7);
- junte ideias e palavras improváveis;
- divirta-se com sua aptidão criativa.

A sugestão é incorporar no cotidiano um ritual para escrever com regularidade, de preferência aos poucos, utilizando uma das técnicas sugeridas no Capítulo 7, "Ginástica para a fluência textual" (p. 97). Se for escrever um poema ou uma dissertação, por exemplo, examine uma imagem abstrata, tendo a certeza de que a resposta está nessa contemplação. Ou ainda, se preferir, escolha uma imagem colorida, bem-humorada, para escrever aleatoriamente sobre o que lhe vier à mente.

Uma vez aquecidas as turbinas criativas, em torno de uma palavra-semente do seu projeto, escreva rapidamente, sem deixar o lado esquerdo interferir. Lembre-se das qualidades-chave da criatividade: associação, flexibilidade e imaginação.

## O QUEBRA-CABEÇA: REFINAMENTO DO TEXTO

Depois de colocar as ideias no papel, o lado lógico entra em ação, iniciando sucessivas leituras e revisões. À medida que o trabalho avança, como em um quebra-cabeça, novos rascunhos permitem rearranjar as ideias, refinar a ordem, a transição e concatenação entre elas, certificando-se de que o texto transmite exatamente o conteúdo desejado.

O original sofre transformações, releituras e reformulações que possibilitam apurar o escrito. Uma etapa que exige tanto o pensamento divergente quanto o convergente. Chega, por fim, a revisão final, cujo foco é acentuação, pontuação e ortografia – etapa em que a leitura crítica de outras pessoas é de extrema importância.

> Escrever não é apenas registrar ideias e enviá-las ao revisor. O processo de reescrita é contínuo.

## POR ONDE COMEÇAR A RELEITURA

Louis Timbal-Duclaux (1993) aponta essencialmente três tipos de leitura: a) a lenta, mais detida; b) passado um bom tempo, a crítica, quando é possível redescobrir o texto com novo olhar; c) por fim, o polimento final, que vem acrescido do sentido estético. Cada vírgula ou ponto-final, cada palavra necessita da razão de ser – na medida certa. Trata-se de um trabalho de artesão, cujo intuito é valorizar e realçar as ideias.

Para Duclaux (*ibidem*), o desafio é confrontar a tendência de elaborar frases longas e usar palavras inúteis. O texto, portanto, deve dizer apenas o essencial.

Se a boa comunicação é simples, aprender a ser simples é essencial. Quer dizer simplificar. Por quê? William Strunk Jr. (2014) responde:

> A escrita vigorosa é concisa. Uma frase não deve ter palavras demais, nem um parágrafo frases demais, pela mesma razão que um desenho não deve ter linhas demais, nem uma máquina peças de sobra. Isso não implica que o escritor tenha de escrever unicamente frases curtas, nem omitir todos os detalhes: ele deve apenas escrever de modo conciso.

Já que a condição das técnicas de escrita criativa é suspender a preocupação com aspectos formais de linguagem, durante a primeira releitura, a tendência natural é corrigir ortografia e gramática. Contudo, em primeiro lugar, antes da revisão propriamente dita, deve-se priorizar os aspectos da macroestrutura, conferindo ao texto equilíbrio. Segundo Duclaux (1993), em vez de correção, o processo é de composição, a saber:

- equilíbrio das partes com relação ao todo;
- equilíbrio dos parágrafos com relação às frases;
- equilíbrio das frases com relação aos parágrafos;
- equilíbrio das palavras com relação à frase.

O *Manual de redação e estilo do Estado de São Paulo* (Martins Filho, 2006, p. 18) enfatiza a importância do encadeamento adequado entre parágrafos. Ou seja, a fluência suave entre eles: "Nada pior do que um texto em que os parágrafos se sucedem uns aos outros como compartimentos estanques, sem nenhuma fluência: ele não apenas se torna difícil de acompanhar, como faz a atenção do leitor se dispersar no meio da notícia".

Mais adiante, o autor alerta para o uso de formas batidas ("por outro lado", "não obstante", "enquanto isso" etc.), porque se a ordem estiver coerente, esses conectores são dispensáveis. Primeiro você precisa aprender a usá-los adequadamente para, em seguida, abrir mão deles. Um pouco como aprender a andar de triciclo com duas rodas traseiras antes de andar em bicicleta.

O escritor catalão Enrique Vila-Matas (2007, p. 184), em seu livro *Paris não tem fim*, discorre sobre as incertezas e angústias do escritor novato. Para incrementar suas dúvidas, a escritora Marguerite Duras lhe havia oferecido uma apostila com a estrutura de um romance. Naquele momento, o autor se questionava quanto ao item "unidade", perguntando-se se isso queria dizer que era importante nunca se desviar da espinha dorsal. Nisso, seu amigo Raúl Escari lê um trecho das cartas de Flaubert para Louise Collet:

> Em cinco meses escrevi 75 páginas. Cada parágrafo é bom em si mesmo, e há páginas que são perfeitas. Estou seguro disso. Precisamente por isso, contudo, a coisa não avança. É uma coleção de parágrafos bem-acabados e ordenados, que não se comunicam uns com os outros. Terei de desfazê-los, afrouxar as dobradiças, como se faz com os mastros de um barco, quando se deseja que as velas colham mais vento.

Ou seja, tal como se verá adiante, os parágrafos devem, sobretudo, se comunicar uns com os outros. Em suma, a arte está em **reescrever**. De um lado, suprimir os excessos que embotam as ideias; de outro, preencher eventuais lacunas de pensamento que deixam as ideias incompletas para o leitor.

## REESCREVER É NEGOCIAR

Por meio do mecanismo mental associativo – ilógico, incoerente e irracional –, as técnicas criativas (ou divergentes) quebram a coerência do tema ou problema inicial, liberando as informações que podem ser reorganizadas em uma nova estrutura. No entanto, despejar ideias no papel ou no micro é apenas uma das fases. Resta ainda maturá-las, concebendo a crítica – na hora certa – como aliada do processo criativo.

Entre leituras e releituras, lógica e criatividade aprendem a conviver. O impasse se resolve por meio de negociação, ou seja, da alternância entre convergência e divergência, entre real e imaginário, entre desordem e ordem.

Enquanto se reescreve, de repente, outro *insight* abre novos caminhos incertos, muitas vezes cruciais. Ou seja, é possível comparar, reagrupar e classificar ideias, continuando a explorá-las. Cabe agora o exercício meticuloso e paciente de aprimorar a linguagem.

**ENXERGAR BRECHAS PARA REFINAR**
De que maneira enxergar lacunas no texto? Escrever sem travas não basta. É necessário tornar-se um melhor leitor de si e do mundo. Receber *feedback* dos demais ajuda a descobrir se estamos nos comunicando ou não. Provavelmente, ninguém vai ajudá-lo a ser mais objetivo, mas se alguém aponta falta de objetividade, já é uma pista para trabalhar seus textos.

Apenas a prática de burilar a escrita ajuda a enxergar tais brechas. Leva tempo até conseguir perceber o que é preciso melhorar. É como se, ainda no estado criativo, fosse quase impossível ser nosso melhor leitor, capaz de complementar as ideias e o sentido do texto. Ou seja, a falta de crítica construtiva é igualmente um impeditivo. De qualquer maneira, às vezes ajuda muito dar um tempo, deixar o texto respirar e submetê-lo à leitura de uma terceira pessoa.

**APRIMORAR A ATENÇÃO**
Comumente, ao escrever pulamos palavras ou ideias, porque o pensamento é mais rápido do que a capacidade de digitar. Daí a importância desse ciclo contínuo: anotar, reler, reescrever.

Ademais, é útil se colocar no lugar do receptor, em um esforço consciente de checar a clareza, verificando se as frases estão coerentes e se não existem termos ambíguos, repetições ou redundâncias. Criar um jeito sistemático de reescrever, prestando atenção a cada palavra e ao texto como um todo.

**SOBRE REESCREVER**
Em 1978, a editora Ática lançou um dos volumes da deliciosa coleção "Gostar de ler", que reunia grandes nomes da

literatura brasileira. O volume 3, consagrado às crônicas, tinha autores de peso, como Carlos Drummond de Andrade e Rubem Braga. Veja o que respondeu cada um deles à pergunta de uma aluna do ensino médio:

> — *Você escreve de novo, corrige muito seus trabalhos?*
> *(Heloísa Ramalho, Colégio Rainha da Paz, São Paulo)*
>
> *Carlos Drummond de Andrade – Corrijo muito.*
>
> *Fernando Sabino – Para mim, o ato de escrever é muito difícil e penoso; tenho sempre que corrigir e reescrever várias vezes. Basta dizer, como exemplo, que escrevi 1.100 páginas para fazer um romance no qual aproveitei pouco mais de 300.*
>
> *Paulo Mendes Campos – Quando escrevo sob encomenda, não há muito tempo para corrigir. Quando escrevo para mim mesmo, costumo ficar corrigindo dias e dias – uma curtição.*
>
> *Rubem Braga – A vida inteira escrevi para a imprensa, e nunca houve muito tempo para corrigir. Mas corrigir sempre melhora. E corrigir quer dizer mudar uma palavra ou outra, e cortar muitas.*

## DIZER TUDO, ESCREVENDO POUCO

Para Marchioni (2007), o estilo cumpre seu papel quando funciona como roupa feita sob medida, vestindo um pensamento claro e cheio de "substância". Dessa maneira, o autor incita o combate aos exageros: "Quando um escritor tenta explicar demais, fazer psicologia, já está fora de ritmo na hora em que começa".

Escrever é cortar palavras, frase atribuída – erroneamente – a Mário de Andrade, absolutamente adequada ao mundo que aderiu aos 140 caracteres do Twitter, cujo lema é o texto enxuto, rápido e direto.

De fato, a quantidade de caracteres não determina a qualidade. O essencial é atender a necessidade de cada contexto. Dizer tudo escrevendo pouco, em textos longos ou curtos, graças ao refinamento do estilo próprio.

## ENGRENAGEM DA COESÃO E COERÊNCIA

Quando nos habituamos a escrever rapidamente, usando recursos criativos, à medida que fazemos sucessivas revisões os resultados são surpreendentes. No início, como na preparação física, você não consegue enxergar os frutos do seu esforço. Depois de um ou dois meses, acorda sem pestanejar e as ideias já invadem a mente. Assim como a postura melhora, e os músculos se fortalecem, o texto também ganha corpo, vigor e elegância. Com o passar do tempo, atravessa, de um lado a outro, a ponte entre pensamento convergente e divergente, raciocínio lógico e criativo.

Há uma intenção dirigida, repetidas vezes, com o intuito de regular a estrutura de cada frase, de cada parágrafo e da espinha dorsal do texto. A fim de minimizar vícios ou desvios, você aprende a escanear a relação entre palavras, entre orações e as partes que compõem o texto.

Se no período criativo a obsessão era a descoberta, agora você perseguirá o encaixe milimétrico, garantindo, ao longo dos parágrafos, a interconexão precisa das ideias. Você e o leitor, sem hesitar, são capazes de apreender o sentido global, ou seja, a coerência. Um elemento condiciona o outro; coerência pressupõe coesão.

Então, verifique a linha lógica de raciocínio que garantirá coesão ao texto. Se você já conhece o problema, pode ser que conheça também a solução. De todo modo, na conclusão, certifique-se de retomar os pontos principais.

## O IMPACTO DA CLAREZA

Experimente fazer uma massa de pão. A temperatura do ambiente, seu ânimo, sua atenção focalizada e inventiva, a qualidade dos ingredientes, enfim, um conjunto de fatores atua de maneira integrada. Uma leve distração e o excesso de farinha, por exemplo, ou de sal, colocam tudo a perder.

Pois a redação é muito parecida com a massa do pão. Cada parágrafo deve garantir que a ideia principal não se misture com as secundárias. O excesso de fermento é similar às palavras pomposas que nada acrescentam. A fase de revisão exige a mesma paciência do descanso da massa.

As pessoas muito racionais sofrem até aprender a suspender a análise para dar livre curso à imaginação. Já outras escrevem sem pestanejar e fogem da etapa da revisão, não demonstrando a menor paciência para aparar as imperfeições.

Após a tempestade de ideias, ao separar o joio do trigo, é inevitável deparar com duplos sentidos, longos parágrafos carregados de complexidade e, às vezes, vocabulário sem critério.

**Um texto claro não deixa lugar ao duplo sentido.**

Alguns cuidados são fundamentais. O primeiro deles é evitar as frases longas que prejudicam a coerência dos argumentos. Prefira os períodos e as frases curtas. Cuide igualmente da pontuação a fim de evitar a ambiguidade e, ao mesmo tempo, facilitar a compreensão.

Diferentemente dos textos literários, quando o assunto é clareza, uma dica importante é o uso da ordem direta: sujeito

+ verbo + complemento. Por outro lado, também é recomendável evitar a subjetividade ou a manifestação de estados emocionais. Do mesmo modo, escape das siglas e abreviaturas e, claro, do vocabulário rebuscado, fora de contexto ou de cujo significado você não tenha absoluta certeza.

## BOM SENSO

Cada vez que você deixa o texto decantar, seu olhar fica mais acurado. E, assim, sucessivas leituras permitem aprimorar a organização de palavras, frases e parágrafos curtos. Tudo com muita simplicidade e bom senso para encontrar o ponto certo.

Comece por hierarquizar ideias ou informações. Afinal, o que importa é priorizar aquilo que causa maior impacto. Além disso, o texto deve denotar conjuntos de significados coesos e conexos.

Uma frase longa é o somatório de várias frases curtas. Quanto mais breve, maior a compreensão do seu enunciado. Não quer dizer que se evitem os detalhes e que toda frase deva ser curta. Significa, sobretudo, que cada palavra realmente necessita de uma razão de ser. Se puder eliminá-la sem mudar o sentido, ela é dispensável.

Ainda que pareça óbvio, escrever de maneira enxuta, sem "gorduras", é o verdadeiro aprendizado. Evitar linguagem rebuscada e labirintos, no mínimo, requer humildade diante da linguagem.

Lembre-se de que termos técnicos, falta de sonoridade, resumo excessivo podem, por sua vez, incorrer no extremo oposto da aridez. Ninguém tem paciência de ler um texto chato ou descuidado na estrutura e na organização de ideias. Consequentemente, esmero, diligência e generosidade para revisar e facilitar a compreensão do leitor são as regras de ouro.

## PONTOS – CEGOS E ILUMINADOS – DA CONCISÃO

O ingrediente indispensável para se preparar um bom prato: tempero. Se exagerar, em meio a tantos perfumes, o produto perde o sabor. Já que existe uma gama imensa de preferências, ao oferecer um jantar, que tal escolher o caminho dos budistas: o do meio? Evite excessos de qualquer tipo: sal o bastante para não ficar insosso, nem demasiado para quem prefere acrescentá-lo ao prato.

Seja como for, o que torna a comida inesquecível é nosso toque pessoal. Embora a sociedade de consumo privilegie o *fast-food*, o tempo para um jantar à luz dos amigos continua sendo uma preciosidade.

O imediatismo contemporâneo também criou outros elefantes brancos: professores de português oferecem aos alunos versões simplificadas de obras literárias; universidades adotam a leitura de capítulos de livros; relatórios organizacionais repletos de abreviações; leituras à procura de notas informativas palatáveis, de fácil digestão.

Nada impede que um breve sumário sobre um assunto dê acesso, num clique, a um caudaloso texto escrito com as palavras imprescindíveis, não mais do que as necessárias. Da mesma maneira que texto longo não é sinônimo de verborragia, concisão por si só não garante um resultado confiável.

| CONCISÃO |
|---|
| Comece usando uma ideia por frase. |
| Sempre que possível, use a voz ativa, e não a passiva. |
| Elimine palavras desnecessárias ou vagas. |
| Prefira termos específicos. |

Na ausência de tempo e paciência, fazer *mais com menos* é sinônimo de objetividade. Fugir da complexidade, da tentação de usar clichês ou florear o texto, de redundâncias e ideias excessivas, da imprecisão ou expressões supérfluas. É a fase de encarar o uso imoderado das frases feitas e da repetição de formas. "Esse tema é difícil", você pode substituir por "A dificuldade desse tema".

| EXEMPLOS DE QUEISMO (EXCESSOS DE QUÊS) ||
|---|---|
| O homem que estava vestido de preto | O homem vestido de preto |
| Trata-se de um objetivo que não se pode atingir | É um objetivo inatingível |

Depois de redigir seu texto, conte os "quês" e corte metade deles. Use a mesma tática com outras repetições. Mediante a prática, você pensará automaticamente suas frases, eliminando certas repetições. O conteúdo ficará mais gostoso de ler.

Ser conciso significa evitar a repetição de ideias e palavras e cortar informações desnecessárias em dado contexto. Ao mesmo tempo, não é preciso escrever pouco para atingir esse objetivo. **A questão é a expressão do texto e não seu tamanho.**

Vamos aos exemplos.

*Na prática, é um esforço contínuo o de ser breve.*
*É um esforço contínuo o de ser breve.*
*Ser breve é um esforço contínuo.*

*O líder deve estabelecer metas claras, de forma que os colaboradores possam ter clareza do que se espera deles.*

*O líder deve estabelecer metas claras a fim de que os colaboradores saibam o que se espera deles.*
O estabelecimento de metas claras pelo líder permite aos colaboradores saber o que se espera deles.

*São projetos que morrem na praia, são informações que se perdem, textos que dão lugar a interpretações ambíguas, entre outros.*
Projetos morrem na praia, informações se perdem, impera a ambiguidade textual.

Fuja das pragas que deixam o texto chato e pesado, dificultando a compreensão, a saber:

- prolixidade: alongar-se e repetir as mesmas ideias;
- digressão: fugir do tema para tratar de assuntos secundários.

| EXEMPLOS DE FALTA DE CONCISÃO |
| --- |
| chegar à conclusão – concluir; |
| tomar a decisão – decidir; |
| no presente momento – agora; |
| na hora do almoço, ou seja, no intervalo entre meio-dia e duas da tarde – das 12h às 14h; |
| paradigma atual dos dias de hoje – paradigma moderno (ou atual); |
| vou agora apresentar um breve apanhado – vou resumir/ resumindo; |
| em minha modesta opinião, eu penso – eu penso. |

Dispor daquilo que é essencial no início e na conclusão também aumenta a concisão. Entretanto, somente ao finalizar o texto é possível obter uma visão global e mais certeira do assunto. Então, é hora de caprichar para atrair e fidelizar o leitor. Não adianta começar de maneira espetacular e não apresentar um excelente desfecho, certo?

Repetir a principal ideia, muitas vezes, ajuda a enfatizar o pensamento. É necessário, no entanto, cuidado redobrado para não cansar o leitor.

A febre indiscriminada da concisão resulta na falta imperdoável de informações, na sisudez do texto técnico, na aridez da dimensão expressiva devido à exclusão de jogos verbais. Vale lembrar que, em algumas ocasiões, a repetição proposital de uma palavra dá coesão e se ajusta perfeitamente ao contexto.

O risco de condensar frases e cortar dados sem critério outro que o de encurtar o texto a fórceps é criar pontos cegos, em vez de facilitar o entendimento. Por isso, ao revisar, perceba se o texto não está muito esquemático ou sem graça devido à falta de contextualização.

Em suma, bom senso é a melhor medida tanto para preparar a refeição quanto para finalizar o texto.

### DEPOIMENTO: QUANDO A CONCISÃO SE TORNA INSIGNIFICÂNCIA

Lembro-me, uma vez, de atravessar a pé o túnel. Pensei em outros caminhos alternativos, sem dúvida mais agradáveis, mas o tempo era curto. Escolhi ir ao compromisso e, ao mesmo tempo, fazer minha caminhada diária. E lá fui eu vivenciar a pior das experiências urbanas de que me lembro.

Para alguém que almeja qualidade de vida, aquele túnel não fez o menor sentido. Então, dependendo do contexto, nem sempre compensa ir direto ao ponto. Sobretudo quando há o risco de a concisão acabar se transformando em insignificância.

Exemplo da concisão que exaspera:

P1 – Você tem como me enviar o relatório antes do meio-dia? Estou na dúvida se anexo o orçamento ou deixo para falar disso em uma segunda fase. Ah, encontrou aquele apresentação?

P2 – OK.

## O PROCESSO DA ESCRITA CRIATIVA

Nem sempre será muito clara a diferença entre as etapas. De qualquer forma, durante o primeiro trimestre, procure não criar e revisar ao mesmo tempo. Mantenha-se firme no seu plano de ação. Aproveite para ajustá-lo.

Preste atenção às etapas descritas a seguir e crie um roteiro, definindo os tópicos que deve priorizar em cada uma delas. À medida que testar as técnicas, você poderá eleger aquelas que vão beneficiá-lo a cada momento. O essencial é assinar um contrato consigo mesmo para ler e escrever mais e melhor.

### Primeira fase: impregnação

Faça um levantamento de dados, do máximo de informação disponível, escaneando rapidamente sua mente para pensar em tudo que já leu a respeito. Talvez você se lembre de um filme, de um artigo ou de um livro.

Questione, reflita sobre o assunto de distintos ângulos. Pesquise várias fontes e, se possível, vasculhe outras disciplinas/áreas.

- O que já foi dito e pode me interessar?
- O que ainda é relevante dizer?
- Qual é a minha visão sobre esse assunto?
- Como posso contribuir com um novo olhar?

Não se trata aqui de simplesmente fazer um inventário racional, mas de aguçar e impregnar igualmente seu inconsciente.

| TÉCNICAS DE IMPREGNAÇÃO |
|---|
| planejamento de leitura (p. 103); |
| mapa de dados (p. 106); |
| metamorfoseando-se na solução (p. 106); |
| o melhor lugar para me inspirar (p. 107); |
| desenhe ou pinte o desafio (p. 107); |
| mapa da empatia (p. 107); |
| alegoria (p. 108); |
| reformulação (p. 109). |

**Segunda fase: distanciamento**

Uma vez reunidos informações e dados possíveis, é o momento de se desligar. Escolha técnicas de criatividade que fujam do racional, contornando o assunto sem tratar dele diretamente. Quebrar o tema ou problema, desviando-se em direção ao imaginário. Esse é o momento da incubação no seu inconsciente, que continua trabalhando no assunto, mesmo sem você perceber.

Por essa razão, pesquise em outras áreas, amplie os horizontes, estimulando o caldeirão da criatividade. Lembre-se, igualmente, de anotar pistas/esboços de ideias. Leve um caderno consigo para escrever o que lhe vier à mente.

| TÉCNICAS DE DISTANCIAMENTO |
|---|
| reformulação (p. 109); |
| alegoria (p. 108); |
| jardim da criatividade (p. 124); |
| crítico interno (p. 123). |

## Terceira fase: elaboração

Nessa etapa você, idealmente, está lendo e escrevendo com regularidade. A regra de ouro aqui é dar livre curso à sua imaginação, e felizmente seu crítico está de férias. Nada de reler, revisar ou cortar.

Abra as anteninhas de percepção para detectar tudo à sua volta: qualquer palavra ao acaso, uma conversa de elevador, um trejeito, um silêncio abrupto aquecem as associações espontâneas. Mesmo que não faça sentido, anote ideias e pensamentos, por enquanto sem se preocupar com a forma do texto, apenas escreva.

A seguir, algumas técnicas recomendadas.

| TÉCNICAS RECOMENDADAS | |
|---|---|
| Projeção com desenho | desenhar ou pintar seu problema ou desafio. Use a imagem visual para aquecer o caldeirão da criatividade. |
| Cenários e tendências | crie possíveis cenários ou contextos para elucidar as possibilidades. Ao elaborar, por exemplo, um texto sobre diversidade, você pode escolher o mundo do trabalho, da educação, das famílias ou das minorias. Pode, ainda, situar tendências regionais ou de regimes políticos. |
| História aleatória | comece por um personagem qualquer que tem um desejo em particular e um obstáculo (interno ou externo). Como ele atingirá seu objetivo? Pensando num cenário, o que você enxerga? Quem são os habitantes desse lugar? Que língua falam? Por que essa cidade nunca foi descoberta? E assim por diante. Você pode inclusive começar de uma palavra qualquer do dicionário e, com ela, criar uma história. |

**Quarta fase: cruzamento**

Esse é o momento do auge do processo criativo, em que também se trabalham as ideias-semente, validando ou não pistas e impressões.

Lenta e metodicamente, o raciocínio lógico perseguirá o aprimoramento, na medida em que novas ideias vão se infiltrar e acrescentar novos olhares. Momento de refinar o estilo e de começar a notar os primeiros frutos dos seus esforços. Momento de se perguntar: como ser conciso, realçando as ideias do texto?

> **CONCISÃO SEM PERDA (GOMEZ, 2011)**
>
> As perguntas que você deve fazer a si mesmo ao ler o que escreveu:
>
> • Há informações redundantes?
> • O texto perdeu a graça?
> • Há informações que não são essenciais?
> • Ficou muito esquemático?
> • Há palavras que não fazem falta?
> • Ainda tem relevância?
> • Há formas mais curtas de falar o mesmo?
> • Devo reincorporar algo que foi alterado?

**Quinta fase:** *feedback*

Peça a opinião de pessoas confiáveis. Mande o material para revisão (de preferência, no mínimo, um copidesque e dois revisores). Prepare-se para se despedir desse material. Chega uma hora em que seu trabalho já não é mais seu. É do mundo. Celebre e comece um novo projeto.

# Ginástica para a fluência textual

**INTROSPECÇÃO**

**A sequência de questionamentos** a seguir permitirá que você estreite sua relação com a escrita. A ideia é escanear as etapas de aprendizagem e identificar eventuais bloqueios e aptidões, reforçando a parceria criativa entre seu observador e a inteligência linguística.

**0. Rebobinar a experiência**
- Exemplifique quando e como cometeu gafes de comunicação.
- Resgate uma situação em que essa brecha se evidenciou.
- Que impacto isso lhe trouxe?
- Você se lembra de algo, em especial, que marcou sua relação com a escrita?

- Como foi sua relação no passado com a escrita? Anote prós e contras.

## 1. Competência linguística atual
- Como descreveria, na atualidade, sua relação com a escrita?
- O que tem feito para desenvolver a competência de se expressar por escrito?
- Quais são seus hábitos de leitura?
- Qual é a percepção das pessoas quanto ao seu perfil de comunicador?
- E, em particular, da escrita?
- Pense nas características favoráveis do seu texto. O que mais lhe agrada?
- Você tem facilidade de iniciar o texto? Ou sofre do branco na hora de colocar as ideias no papel?
- Nesse caso, qual é o discurso interno? O que acontece exatamente?
- Você se perde na profusão de ideias?
- Será que você nunca encontra tempo para começar?
- Quem sabe a questão é técnica? Quer aprender a escrever um romance, mas nem tentou, muito menos procurou um curso que ajude?
- Considera criativo seu jeito de se expressar?
- Depois de escrever, você faz uma revisão detalhada? Ou não tem a menor paciência?
- Ou revisa ao mesmo tempo em que escreve?
- Que aspectos privilegia na hora de revisar?
- Tende a ser claro e objetivo? Sabe ir direto ao ponto?
- Ou prefere ser mais detalhista para se certificar de que se fez entender?
- Você cuida da estrutura do texto, das frases e do parágrafo?

- Seus parágrafos são longos? Ou prefere frases e sentenças curtas?
- Costuma reescrever as frases para corrigir imprecisões?
- Deleta excessos? Elimina a repetição de ideias/palavras?
- Cuida da pontuação?
- Se preocupa em checar se a linguagem está adequada ao leitor/público-alvo? Ou mantém o mesmo padrão?
- Você se encanta e se surpreende com o próprio texto?

## 2. Estado desejado
- Aonde você quer chegar com a escrita?
- O que exatamente imagina haver aprendido para atingir seu objetivo?
- Quais aspectos no texto terão melhorado?
- Quando alguém ler um texto seu, o que vai observar?
- O que terá evoluído na sua relação com a escrita?

## 3. Brecha entre situação atual e desejada
- Como você explica essa lacuna?
- Que dados fundamentam sua opinião?
- O que você pode fazer para minimizar essa brecha? Ou seja, como imagina conseguir o que necessita?
- Que aprendizado é necessário para atingir seu objetivo?
- De que forma assegurar a aprendizagem?
- No passado, já alcançou melhores resultados com sua escrita?
- O que fez exatamente para assegurar a qualidade do texto?
- Será possível aplicar novamente essa fórmula de sucesso?
- Caso não tenha vivenciado nenhuma experiência satisfatória, quando em sua vida conseguiu atingir o objetivo que lhe parecia impensável?
- O que fez exatamente?

- Com relação à escrita, o que pode fazer de concreto?
- Quais são as estratégias possíveis para chegar ao seu objetivo?
- Está disposto a colocar a mão na massa?

## ESTABELECENDO O PLANO DE AÇÃO

Ao estabelecer seu plano de ação, lembre-se de:

> Traçar um plano que seja capaz de cumprir.
> Fixar metas concretas e mensuráveis.
> Definir detalhadamente as etapas de execução.
> Rever autossabotagens e prever o plano de contingência.
> Ter clareza da relação que pretende estabelecer com a escrita.

Você pode, por exemplo, se propor a elaborar o primeiro livro ou simplesmente escrever com maior constância, fluência e objetividade. Qualquer meta é válida, desde que atenda a duas condições: a) ter um mínimo de disciplina; b) escolher uma etapa do aprendizado ou algum aspecto da escrita que queira trabalhar.

E, assim, sucessivamente, à medida que você avançar, surgirão novos focos de aprendizado. Nesse sentido, você pode escolher o processo de edição e, em particular, aprimorar a conexão entre os parágrafos.

Ler, no mínimo, uma lauda diariamente também é uma meta possível. O plano de ação detalhado abarca diversos pontos complementares e interdependentes. Enquanto lê, você presta atenção aos conectores e registra novas formas de paragrafação.

Você acaba focando no seu propósito e, ao mesmo tempo, experienciando um intenso processo criativo. O importante é juntar uma caixa de canetas coloridas, lápis, borracha e um quebra-cabeça com todas as palavras que você apanhou – aqui e acolá.

### Autores e pessoas que você admira na competência da escrita

Quem são e como escrevem essas pessoas? Como você descreveria o texto delas? Que qualidades se sobressaem? Por quê? Consulte os textos para identificar esses atributos linguísticos e de expressão.

### Área de melhoria na escrita

Que aspectos você quer melhorar? Relacione os porquês. Esses motivos são suficientemente mobilizadores?

### Aspecto de maior impacto

Entre os tópicos apontados anteriormente, qual deles seria mais eficaz para diminuir a brecha entre o modo como escreve hoje e a maneira como deseja escrever amanhã? Analise o que o ajudaria nesse momento e decida por onde começar.

### Aspecto-chave

Você tem aqui uma grande oportunidade de melhorar exatamente o quê? Traduza isso em uma palavra-chave. A qual "músculo" você está se referindo?

### Obstáculos

O que o impediria de atingir seus objetivos? Como lidar com cada possível obstáculo?

Já que o crítico interno – o lado racional – pode ser um sabotador inato, de que maneira pretende se relacionar com ele? Que argumentos abalariam seu ânimo? Falta de tempo ou de técnica, cansaço ou baixa autoestima?

Defina argumentos convincentes para lidar com aspectos impeditivos. São necessárias prontidão e criatividade para instaurar novos hábitos.

### Passo a passo
Quais são suas alternativas de ação? A questão primordial – aqui e agora – é destinar um tempo para cada coisa, definindo ações concretas que serão colocadas em prática. Descreva o passo a passo.

### Largada
O que você ganha ao colocar em prática seu plano de ação? Consegue cumpri-lo? Sabe como contornar as possíveis autossabotagens? Então, mãos à obra.

### Modo de explorar
As técnicas a seguir, essencialmente, estimulam a fluência e abrem possibilidades alternativas do universo linguístico. Você vai se surpreender com as virtudes da própria escrita. Não importa o tipo de projeto que visa desenvolver, por agora o treino é colocar as ideias no papel, acionando o processo criativo.

Minha sugestão é treinar – sem descanso – durante um mês. Escrever um texto diário de, no mínimo, três parágrafos. Do mesmo modo, explorar ou ampliar paulatinamente o hábito da leitura.

Passados 30 dias, você poderá intercalar: dia sim, dia não. Então, chame de volta seu crítico interno (o lado esquerdo), que funciona de maneira analítica. Já que ele comanda a linguagem e o raciocínio, é imprescindível na hora de reler e reescrever.

A ideia é que, no início, você respeite as duas etapas: primeiramente crie o texto; somente em seguida revise-o. Lembre-se: existe uma complementaridade entre os hemisférios cerebrais. Cabe a nós permitir que colaborem entre si, em sinergia, formando um time.

> "Ser conciso é a essência da inteligência."
>
> Humberto Eco

Escolha temas que despertem seu entusiasmo. É valioso compreender a natureza da sua curiosidade, aquilo que o impulsiona e lhe dá motivos para ler e escrever.

Se, no entanto, queremos desmistificar a escrita e nos reconciliar com ela, temos de sondar nossa expressão original, legitimar nossa autorização para escrever. Requer olhar, escutar, nomear emoções, recordar, indagar, vasculhar, pesquisar, observar, ler, reler, inspirar e transpirar, tornando-se um curioso nato da palavra.

Ainda que estabeleça como meta trabalhar a etapa de edição e revisão, durante o primeiro mês explore unicamente a criatividade. Na sequência, dê andamento ao seu plano de ação.

Antes de iniciar, lembre-se: a leitura de bons livros é importante. Além disso, aprende-se a escrever escrevendo e reescrevendo.

## PLANEJAMENTO DE LEITURA

O grande desafio é se transformar em bom leitor e produtor de textos. O primeiro passo é ler materiais de distintas naturezas. Livros voltados para a ampliação do conhecimento, obras para se distrair e de ficção que ajudam a dar a volta ao mundo sem sair de casa, experimentando o prazer estético.

Ao ler livros da sua área de atuação, explore os assuntos com profundidade até conhecer autores que revolucionem suas ideias. Experimente livros de drama, comédia, ação. Romances, contos e crônicas. Comece devagar para chegar longe.

> "Você lê e sofre. Você lê e ri. Você lê e engasga. Você lê e tem arrepios. Você lê, e a sua vida vai se misturando no que está sendo lido."
> 
> Caio Fernando Abreu

Experimente, então, conteúdos distintos e novos autores. Comece por assuntos do seu interesse. Sempre anote dúvidas e sinalize aspectos interessantes do texto.

Se você ler com calma demais, acaba se entediando, do mesmo modo que acelerar a leitura pode ser improdutivo. Além disso, acesse sempre o dicionário. Na hora de escrever, ajuda a ser mais assertivo e menos repetitivo porque é possível consultar os sinônimos. Na hora de ler, além de ampliar o vocabulário, ajuda a compreender as frases mais complexas.

Há pessoas que gostam de ler no transporte coletivo, enquanto outras preferem a solidão e o silêncio absolutos. O que importa é estabelecer o local e o horário adequados. Ler antes de dormir pode ser um bom hábito, mas jamais funciona quando o texto é muito elaborado ou exige mais atenção.

Uma boa dica é encontrar lugares agradáveis, do seu gosto. Experimente livrarias, bibliotecas ou centros culturais.

Se você se prepara para o vestibular, inclua leitura de atualidade. Se estiver preparando o TCC, comece pela trilha dos autores que usará como referência. Enfim, determine-se.

A seguir, uma breve sugestão, incompleta, de livros e autores, mas é um bom começo para quem não sabe por onde iniciar a prática de leitura. As indicações completas estão nas referências.

- Carlos Drummond de Andrade: *Antologia poética*, *Boca de luar*, *Contos de aprendiz*.
- Graciliano Ramos: *Memórias do cárcere*.
- Guimarães Rosa: *A hora e a vez de Augusto Matraga*, *Grande sertão: veredas*.
- Lima Barreto: *Triste fim de Policarpo Quaresma*.
- Machado de Assis: *Contos fluminenses*, *Crônicas escolhidas*, *Dom Casmurro*, *Quincas Borba*.
- Mário de Andrade: *Contos novos*.

- Rubem Alves: *As melhores crônicas de Rubem Alves*.
- Rubem Braga: *Melhores contos*, *Um cartão de Paris*, *A coleira do cão*.
- Vários autores: *Contos brasileiros* – volume 2.
- Vários autores: *Crônicas* – volumes 1 a 3.

Romancistas e ensaístas brasileiros – qualquer livro deles é uma ótima recomendação:

- Caio Fernando Abreu
- Carlos Heitor Cony
- Chico Buarque
- Clarice Lispector
- Dalton Trevisan
- Fernando Namora
- Fernando Sabino
- Ignácio de Loyola Brandão
- Ivan Ângelo
- João Antônio
- José J. Veiga
- Luis Fernando Verissimo
- Lya Luft
- Lygia Fagundes Telles
- Marcelo Rubens Paiva
- Moacyr Scliar
- Nélida Piñon
- Patrícia Melo
- Paulo Mendes Campos
- Rubem Braga
- Rubem Fonseca

Outros talentos que vale a pena conhecer:

- Ana Maria Gonçalves
- André Dahmer
- Antonio Prata
- Conceição Evaristo
- Daniel Galera
- Luisa Geisler
- Marcel Aquino
- Marcelino Freire
- Pedro Gabriel
- Rafael Montes
- Ricardo Terto
- Veronica Stigger

Mais uma dica: o site Estante Virtual (www.estantevirtual.com.br) reúne os maiores sebos brasileiros on-line.

## MAPA DE DADOS

Organize um esquema de toda a informação disponível. Há pessoas que gostam de usar mapas mentais ou diagramas. Crie um esquema organizado e resumido, por meio de palavras-chave ou conceitos, usando linhas e setas. Você pode simplesmente elencar, em forma de listas, todos os dados disponíveis.

Os *post-its* também são uma ótima ferramenta para organizar visualmente os diferentes níveis dos dados. Dessa maneira, é possível ilustrar os elos entre eles e, assim, extrair novos significados ou interpretações.

## METAMORFOSEANDO-SE NA SOLUÇÃO

Imagine que você queira ideias para desenvolver um projeto ou texto. Em vez de usar apenas recursos mentais, alguém se transforma na solução ou no objeto em questão. Sente-se ou deite-se comodamente. Imagine que sua pesquisa ou texto é sobre diversidade. Você se imagina, por exemplo, no lugar de um imigrante ou de um negro. Pense em situações concretas que o fazem se colocar na pele da pessoa. Tenta descrever em detalhe impressões, sentimentos e pensamentos. Ao terminar, escreve um texto rapidamente.

Outra maneira de se metamorfosear é se dirigir a um espaço público – uma padaria ou museu, por exemplo – e abrir suas anteninhas parabólicas, porque as respostas à sua questão da diversidade estão ali. O mesmo vale ao contemplar uma imagem qualquer. Basta se concentrar e, durante a observação, tentar encontrar soluções.

### O MELHOR LUGAR PARA ME INSPIRAR

Assim como é importante encontrar um lugar ideal para a prática da leitura, o mesmo cuidado deve ser tomado para executar a rotina de escrita. Se sua família é grande, procure um canto para se isolar. Busque lugares que sejam inspiradores. Eu, por exemplo, adoro estar no meio do mato, mas também aprecio vagar pelo centro de São Paulo e perambular admirando o espetáculo da urbanidade.

### DESENHE OU PINTE O DESAFIO

Há mil formas de aguçar a criatividade. Uma delas é pintando ou desenhando. Se preferir, escolha algumas revistas e recorte personagens, figuras representativas e faça uma colagem simbolizando o tema da sua pesquisa. Se desejar, cole palavras ligadas a ele.

### MAPA DA EMPATIA

O foco é a síntese das informações que elucidam o problema, o assunto, o personagem ou o produto, enfatizando o essencial. Há diversas formas de aplicá-lo. Para tanto, crie um diagrama que responda às seguintes questões:

- O que ele pensa e sente?
- O que ele enxerga?
- O que ele escuta?
- O que ele fala e faz?
- Quais são suas dores?
- Quais são seus objetivos?

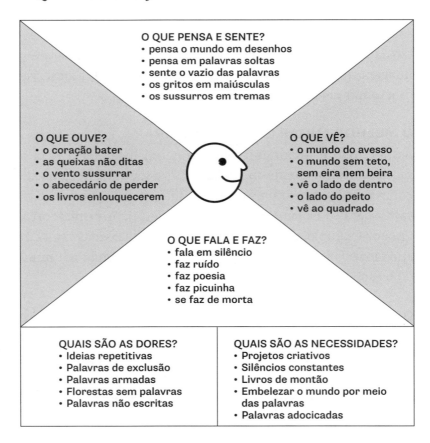

## ALEGORIA

Imagine o seu problema ou desafio como um personagem mítico ou fantástico. Como ele é? Qual é seu papel? Quais são suas cores? O que ele transmite?

## REFORMULAÇÃO

Pensar criticamente requer sensibilidade e avaliação. Implica fazer muitas perguntas, buscando alternativas para resolver uma questão.

Qual é o melhor caminho para começar? Tenho todas as informações necessárias para iniciar a resolução do problema? Qual é o objetivo real para o problema apresentado? Como adequar-se ao contexto real? Esse problema ou desafio faz sentido?

Ao reformular suas ideias, o intuito é pensar diferente e de forma positiva. Assim é possível enxergar, por meio de um problema, a oportunidade de inovar. Então, o que realmente está ocorrendo? De que maneira essa mudança poderá trazer benefícios? O que é necessário mudar? De que forma posso enxergar essa questão de outros ângulos? Quais as possibilidades para uma melhora constante?

Imagine agora que esse problema-desafio é reformulado por um extraterrestre. Em seguida, recorra a outros personagens imaginários. De que maneira uma criança chinesa o reformularia? E um cachorro?

## TÚNEL DO TEMPO

Técnica que visa resgatar lembranças perdidas nos porões do inconsciente. Imagens atreladas umas às outras, que conectam sensações, um trem de emoções e pensamentos esparsos. Uma lufada do tempo. Comece por um exercício que facilite seu trânsito imaginativo.

### Chá com bolinho

O ápice da obra *Em busca do tempo perdido*, saga magistral de sete volumes do escritor francês Marcel Proust, é o momento em que o narrador degusta uma madalena (bolinho com aroma de limão ou amêndoas) com chá. Por meio da percepção dos sentidos, há o resgate de inúmeras sensações da infância.

Confira:

> [...] Muitos anos fazia que, de Combray, tudo quanto não fosse o teatro e o drama do meu deitar não mais existia para mim, quando, por um dia de inverno, ao voltar para casa, vendo minha mãe que eu tinha frio, ofereceu-me chá, coisa que era contra os meus hábitos. A princípio recusei, mas, não sei por que, terminei aceitando. Ela mandou buscar um desses bolinhos pequenos e cheios chamados madalenas e que parecem moldados na valva estriada de uma concha de São Tiago. Em breve, maquinalmente, acabrunhado com aquele triste dia e a perspectiva de mais um dia tão sombrio como o primeiro, levei aos lábios uma colherada de chá onde deixara amolecer um pedaço de madalena.
> 
> Mas no mesmo instante em que aquele gole, de envolta com as migalhas do bolo, tocou o meu paladar, estremeci, atento ao que se passava de extraordinário em mim. Invadira-me um prazer delicioso, isolado, sem noção da sua causa. Esse prazer logo me tornara indiferentes as vicissitudes da vida, inofensivos os seus desastres, ilusória a sua brevidade, tal como o faz o amor, enchendo-me de uma preciosa essência: ou antes, essa essência não estava em mim; era eu mesmo. Cessava de me sentir medíocre, contingente, mortal.
> 
> De onde me teria vindo aquela poderosa alegria? Senti que estava ligado ao gosto do chá e do bolo, mas que o ultrapassava infinitamente e não devia ser da mesma natureza. De onde vinha? Que significava? Onde aprendê-la? Bebo um segundo gole em que não encontro nada demais que no primeiro, um terceiro que me traz um pouco menos que o segundo. É tempo de parar, parece que está diminuindo a virtude da bebida. É claro que a verdade que procuro não está nela, mas em mim.

A bebida a despertou, mas não a conhece, e só o que pode fazer é repetir indefinidamente, cada vez com menos força, esse mesmo testemunho que não sei interpretar e que quero tornar a solicitar-lhe daqui a um instante e encontrar intacto à minha disposição, para um esclarecimento decisivo. Deponho a taça e volto-me para o meu espírito. É a ele que compete achar a verdade. Mas como? [...]. (Proust, 1982)

A seguir, apresento temas para ajudá-lo a recobrar a memória dos sentidos. Escreva sem pestanejar. Não leia, apenas anote o título como treino e, em seguida, vire a página. Certamente, ao cabo de duas semanas, terá outras e novas lembranças. Crie uma rotina e aproveite para exercitar-se a escrever o mais rápido possível.

| A MEMÓRIA DOS SENTIDOS |
|---|
| Sobremesa predileta da minha infância. |
| O odor de café na casa dos meus avós. |
| A textura e o aroma do morango. |
| O sabor das tardes de verão. |
| Aquela viagem cheirou a... |
| Meu prato favorito. |
| A lembrança de uma cena hilária de filme em que as pessoas comiam. |
| Os odores de que eu gosto e os que detesto. |
| A música que eu mais curti. |
| Os sons do vizinho ao lado. |
| A maciez do giz. |
| A maior sensação de frio que já experimentei. |
| O desconforto daquela manhã. |
| O calor pegajoso, lembra? |

## Questionário de Proust

Por volta de 1886, o jovem futuro escritor participou de uma brincadeira de salão denominada "Confissões". Tratava-se de uma série de perguntas que entretinham os convidados.

Agora é sua vez! Leia e responda essa forma adaptada do jogo.

- Qual é a sua maior qualidade?
- E seu maior defeito?
- Qual é a característica mais importante em um homem?
- E em uma mulher?
- O que mais aprecia em seus amigos?
- Sua atividade favorita é...
- Qual é sua ideia de felicidade?
- E o que seria a maior das tragédias?
- Quem você gostaria de ser se não fosse você mesmo?
- Qual é sua cor favorita?
- Uma flor?
- Um pássaro?
- Seus autores preferidos?
- E os poetas de que mais gosta?
- Quem são seus heróis de ficção?
- E as heroínas?
- Seu compositor favorito é...
- E os pintores que mais curte?
- Quem são suas heroínas na vida real?
- E quem são seus heróis?
- Qual é sua palavra favorita?
- O que mais detesta?
- Que personagens mais despreza?
- Que dons naturais você gostaria de ter?
- Como você gostaria de morrer?

- Qual é seu atual estado de espírito?
- Que defeito é mais fácil perdoar?
- Qual é o lema da sua vida?

**Memórias da primeira vez**

Você se lembra da primeira vez em que foi à escola? O primeiro caderno, a primeira professora, a primeira vez de qualquer experiência guarda uma sensação em estado puro. A proposta, a seguir, é avivar essas memórias, uma a uma, até decantar as mínimas impressões.

| | |
|---|---|
| A escola... | A primeira noite fora de casa... |
| O primeiro amor... | A primeira vez que guiou o carro sozinho... |
| O primeiro beijo... | O primeiro tombo. |
| A primeira vez no mar... | A primeira vez que tomei chuva. |
| O(a) primeiro(a) amigo(a)... | A primeira vez no trem. |
| A primeira grande tristeza... | A primeira traição. |
| O primeiro luar... | A primeira vez no sexo. |
| A primeira viagem... | A primeira grande viagem. |

**Minha casa**

A casa onde nasci e vivi os primeiros anos de minha vida, as lembranças do lugar onde passava as férias: o intuito continua sendo recuperar a memória dos sentidos – os cheiros, os ruídos da casa ao amanhecer, as cores e texturas dos alimentos, a alegria que andava à solta. E a tristeza quando perdeu seu cão; o toque das suas mãos na terra; o cheiro do orvalho; o rubor quando quebraram seu brinquedo e você estrilou. Escreva!

## Aquela vez

Alguma lembrança em especial? Pode ter sido uma boa surpresa ou uma decepção, desde que seja um fato que deixou pegadas em você. Feche os olhos e reveja, na tela mental, o ambiente, as pessoas envolvidas, os mínimos detalhes. Sinta a temperatura, o batimento cardíaco. Assim que se perceber devidamente impregnado de ideias, escreva sem pestanejar.

## Álbum

Sempre há uma foto, em particular, de algum período da vida que nos abre uma janela interior. Separe fotos de épocas diferentes. Você poderá, de vez em quando, se inspirar nelas. Caso se lembre igualmente de uma música da mesma época, aproveite para escutá-la e entre no túnel do tempo. Escreva.

## MAPA MENTAL

O sociólogo Guy Aznar (2011) alude aos primeiros traços do mapa mental encontrados nos manuscritos sânscritos e nos esboços de Leonardo da Vinci. Essa abordagem foi sistematizada na década de 1960 por Tony Buzan. Sua ideia inicial, por meio de palavras-chave, era oferecer uma ferramenta simples, que auxiliasse os alunos a fazer anotações e resumos de aulas e livros.

> A memória não se organiza de forma linear, mas associativa. De certo modo, o mapa mental funciona como o cérebro, de maneira não linear. É provável que cada ideia estabeleça uma enorme quantidade de ligações em nossa mente. O mapa mental permite que as ligações e as associações sejam registradas e reforçadas; favorece um fluxo mais rápido de novas ideias; permite que um problema seja examinado "visualmente", em todos os aspectos e relações. (Aznar, 2011, p. 47)

As possibilidades do mapa mental são proporcionais à nossa imaginação. Você pode, de um lado, organizar ideias e assuntos; e, de outro, gerar associações espontâneas (sem uso do raciocínio). E, em ambos os casos, a técnica funciona como um trampolim para estimular a produção do texto.

O mapa mental é um recurso gráfico que, por meio de diagramas, palavras-chave e imagens, substitui o processo de anotações ou a listagem. Ele permite identificar com eficiência a estrutura do tema e compreender a problemática analisada.

Esse recurso é usado para resumir um livro, analisar um problema, planejar um texto ou artigo, se preparar para exames, reuniões, palestras e gerenciar um projeto, entre outros. Para tanto, bastam lápis de cor e papel ou um *software* gratuito ou pago, de acordo com a complexidade dos recursos.

**Como criar um mapa mental**
**Material:** folha A3 ou A4, lápis coloridos, canetinha e giz de cera.

A fim de ativar a criatividade, é importante utilizar palavras-chave, cores e imagens-chave. Evite frases: quanto mais conciso, melhor.

Minha sugestão é que você comece do jeito artesanal, com papel e canetas hidrocor. Mais adiante, explore os programas disponíveis na internet até encontrar o melhor formato para você! A seguir, algumas sugestões:

- MindMeister (aplicativo on-line em português);
- Freemind;
- SimpleMind;
- iThoughtsHD;
- Mindjet.

### PASSO A PASSO DO MAPA MENTAL

Coloque o tema central no centro da página no sentido paisagem (horizontal).

Escreva o tema ou desenhe uma imagem que represente a ideia central.

Abuse das cores (evite cores neutras).

Conecte os ramos principais à imagem central (subtópico ao tópico central) e os ramos secundários aos ramos principais.

Faça os ramos fluírem organicamente e em curvas.

Use apenas uma palavra-chave por linha.

Utilize muitas imagens para ilustrar.

O resultado é um conjunto de fibras nervosas – o pensamento radiante (p. 117).

## Organização e planejamento

O mapa mental é uma técnica que também favorece o processo de organização do pensamento, ou seja, ajuda a hierarquizar as ideias e a compreender melhor as informações sobre determinado conteúdo.

Você pode organizar afazeres, bem como a estrutura ou processos de um projeto. A hierarquização da informação, por meio do raciocínio convergente, simplifica a classificação e o levantamento de dados.

Vamos imaginar que você vá escrever um relatório ou um artigo. Por onde começar? O que eleger? Quais são as ideias realmente fundamentais? Quais as secundárias? O que privilegiar? Quando você visualiza em tópicos as ideias distribuídas em um diagrama, consegue analisar o que é mais importante.

Imagine um texto sobre acidente de trabalho na empresa. Você pode abordá-lo de distintos pontos de vista. Afinal, o tema se relaciona a prevenção, infraestrutura, bem-estar... Também há pesquisas ou informações, dados ou números. Diante do diagrama, analise as ideias e pergunte-se qual é o objetivo principal. Criar um plano de prevenção? Somente ao definir o ponto nevrálgico, o que pretende por meio desse comunicado, poderá decidir quais são as ideias imprescindíveis ou relevantes. Foque naquilo que é essencial.

**Pensamento radiante**
Os mapas mentais utilizam o princípio do pensamento radiante, similar à formação de nossas conexões neurais. Em resumo, falam a mesma língua do nosso cérebro: o lado esquerdo fica responsável pelas palavras-chave e pela hierarquização das informações; o lado direito, pela junção e interpretação das cores e imagens.

Além de aumentar a capacidade de atenção concentrada, ao ativar os dois hemisférios cerebrais nossas competências cognitivas são estimuladas, entre elas: análise, comparação, memorização e raciocínio.

## Memorização

Uma das reclamações mais comuns dos estudantes é a dificuldade de absorver e lembrar todo o conteúdo exigido nas provas. A infinidade de conceitos preocupa qualquer vestibulando ou universitário. Para resolver o problema, o mapa mental, em uma única página, produz um resumo do tema e descomplica a revisão.

À medida que o mapa permite anotar da mesma maneira que o cérebro consegue memorizar, auxilia o aprendizado e a recuperação, em longo prazo, de qualquer tipo de conteúdo. O cérebro grava as informações ao mesmo tempo que raciocina e as decodifica.

## Vista panorâmica

Um dos ganhos relativos à escrita por meio do mapa é a obtenção da visão panorâmica e organizada do que vai escrever. Vamos imaginar uma dissertação sobre o tema deste livro. No centro, você coloca ESCRITA CRIATIVA; em seguida, os troncos vão representar os capítulos, que podem compreender: pesquisa, criação, edição, revisão etc. Na sequência, faz um mapa de cada tronco, por exemplo, escolhe PESQUISA. Passa, então, a detalhar possibilidades de organizar e até inovar a etapa de investigação.

## Aquecimento criativo e geração de ideias

Outra possibilidade é justamente o contrário: suspender o raciocínio ou julgamento, associar ideias umas às outras. É válido tudo que lhe vier à mente: imagens, sensações, emoções, metáforas, sons, símbolos, lembranças. Aliás, quanto maior a quantidade, melhor.

À medida que uma palavra lembra outra, você vai se distanciando do tema principal. Cada uma delas é passível de criar um tronco com novas associações, como se imaginasse um novo mapa mental. É interessante, inclusive, pular de um tronco a outro, voltar ao anterior, ziguezagueando em subtemas e galhos, até esgotar a infinidade de associações.

Dito de outra maneira, o mapa mental também é útil para se distanciar ou divergir. Tal como a memória dispõe de organização associativa, o mapa mental funciona de modo não linear. Além de reforçar a ligação entre ideias, abre as portas da imaginação.

Uma vez concluído, o cérebro já está mais do que aquecido, pronto para descobrir novas combinações. Nesse caso, em vez de estruturar ou organizar o pensamento, o mapa funciona como acelerador do fluxo de pistas de ideias. Serve, portanto, de aquecimento antes de escrever, ou em processos de criação de produtos/projetos.

Trata-se do *brainstorming*, estratégia, muito utilizada, na primeira etapa, para anotar ideias livremente. A seguir, pode-se refazer o mapa, agrupando ideias ou subcategorias semelhantes. Com a prática, aprende-se a explorar o recurso de hierarquização de informações, próprio dos mapas mentais (raiz, tronco, ramos, galhos e folhas).

| DICAS |
|---|
| Prefira folhas de papel sem pauta. |
| Use cores. |
| Esteja atento às palavras-chave e aos principais conceitos. |
| Identifique o tema, a matéria, o capítulo. |
| Use letra de forma, para ser mais legível. |
| Prefira letras grandes. |
| Abrevie as palavras. |
| Escreva do centro para as extremidades. |

(continua)

(continuação)

> Quebre os temas principais em níveis, de acordo com o grau de importância.
>
> Abuse de imagens, desenhos que simbolizem o conteúdo abordado.
>
> Treine, no mínimo, um mês para ganhar fluência.

## Quebra-cabeça

Assim como o guia de ruas e avenidas oferece as vias de ligação entre os lugares e, desse modo, nos situa, os mapas mentais fornecem-nos a visão global para transitar pelas informações mais relevantes e relacioná-las. Quer dizer, uma única imagem, de forma simples e rápida, revela as relações cruciais e sua hierarquia.

O mapeamento de informações desenvolve flexibilidade de raciocínio, conferindo agilidade no detalhamento e na generalização de informações. Os reais benefícios são observados somente mediante a prática. Daí a sugestão de adotar o mapa mental no seu planejamento, não apenas como estratégia complementar de organização e estruturação do pensamento, mas também como estímulo à criatividade.

O escritor francês Stendhal (1783-1842) dizia precisar de três a quatro metros cúbicos de ideias diariamente, tal qual uma locomotiva a vapor necessita de carvão. O mapa mental ajuda, por exemplo, a esclarecer o que já sabemos. Em seguida, é possível associar novas e melhores ideias às ramificações do tema central. À mão ou por meio de um aplicativo, além de fornecer novas ideias, pode igualmente servir de base para criar um plano de ação.

## IMAGINAÇÃO CRIATIVA

O também psicólogo americano Norman Triplett deu início à chamada psicologia do esporte. Seu objetivo era investigar por que a *performance* dos ciclistas aumentava consideravelmente quando pedalavam em grupos ou em pares. Hoje, a imaginação criativa ou visualização mental, técnica criada por Triplett, é aplicada não apenas no esporte, mas na área da saúde, do lazer e, como veremos a seguir, para escrever.

Essa técnica é empregada com propósitos que abarcam do aumento do desempenho do atleta e da recuperação de lesões à concentração, à motivação e ao controle de adversidades. Além de contribuir na prevenção do estresse e no equilíbrio emocional, é eficaz para ativar a energia e a concentração, antes e durante treinos ou jogos. Ao recriar na mente experiências esportivas similares às reais, aumentam a chances de reproduzi-las corretamente.

O que nos interessa agora são os benefícios da visualização para aquecer o caldeirão da criatividade antes de escrever. Certamente, as pessoas mais lógicas ou sérias resistem, no início, porque a perspicácia do crítico interno é irrefutável: *que bobagem é essa? Estou perdendo meu tempo com tanta coisa pra fazer!* Enfim, cada um desenvolve um jeito de sabotar a degustação do novo. Por esse motivo, persevere até dar férias ao crítico e, por fim, desfrutar da sua imaginação.

### Desfrute de cada passo

Reiteradas vezes enfatizei quanto nossa cultura privilegia o lado lógico. Mal orientado, ele cerceia a criatividade e, por conseguinte, a escrita.

O que se espera, em termos práticos, é soltura para escrever, decorrente do aprimoramento da aptidão criativa. Por isso, a primeira atividade de imaginação é o encontro com o crítico interno, visando suspender sua intervenção limitadora.

Passado o período de, no mínimo, um mês de prática diária dos exercícios, alterne a escrita de novos textos com a revisão daqueles que já descansaram o bastante. Nesse momento, o crítico interno cuidará do pente fino, garantindo o alcance dos objetivos propostos.

Caso não tenha pressa, espere. Quem briga muito com a escrita deve escrever – sem revisar nem reler – por um período maior, a fim de fazer as pazes com o prazer do jorrar de ideias. Postergar a etapa da revisão ajuda a firmar o pacto com a aptidão criativa.

Se você obtém a carta de motorista, concorda comigo que a prática leva tempo? Escrever não é diferente. Então, aproveite para ler e escrever com regularidade. Baixe a ansiedade no sentido de buscar resultados imediatos. Desfrute do caminho.

Ter motivos para comunicar algo é o primeiro passo; fazê-lo com maestria leva tempo. O essencial é soltar as rédeas da imaginação. Com o passar do tempo, é possível desfrutar do processo necessário de maturação do texto.

**Dicas de preparação**
- Certifique-se de que não será interrompido.
- Deixe o celular no silencioso (sem vibrar).
- Comece o treino paulatinamente: na primeira vez, pratique por um a dois minutos; em seguida, três – até progressivamente chegar a 10 ou 20 minutos.
- Não se preocupe com os desconfortos iniciais; antes de tudo, corra, caminhe, faça um alongamento, tome um banho demorado, algo que ajude a sossegar.
- Torne a imaginação criativa um ritual.

Sinta o peso do corpo: os pés se aquecendo e pesando, as pernas se soltando e relaxando cada vez mais e assim sucessivamente, até o corpo todo se soltar.

Em seguida, torne regular a respiração e comece a contagem: três ao inspirar e três ao expirar. Continue, até os pensamentos se aquietarem. Repita a operação, contando até quatro e, um dia, quem sabe, chegue a 12. O importante é equilibrar os movimentos de inspiração e expiração, levando o oxigênio dos pés ao cérebro.

Não brigue com os pensamentos que vão atravessar o céu da mente: o segredo está em deixá-los passar – a cada inspiração eles se vão, a cada expiração eles se distanciam mais e mais.

## O CRÍTICO INTERNO

Leia atentamente o tópico "Dicas de preparação" (p. 122). Depois de executar as fases preparatórias, uma vez o corpo relaxado e a mente concentrada, nesse estado de divagação inventiva, crie na tela mental, nos mínimos detalhes, uma sala de estar.

Esse ambiente é decorado em branco e preto, com formas retilíneas, nada sinuoso ou chamativo. As paredes são brancas com pinturas zen-budistas: bambus desenhados em preto sobre a folha de arroz branca.

O sofá é preto, aveludado, com almofadas de couro cinza-escuro; a mesa de centro de vidro tem os pés de ferro pintados de preto. Sobre ela, um envelope com uma passagem aérea. Um gato preto coloca o focinho no envelope e volta a esparramar-se na poltrona, ronronando despercebido.

Você está aguardando uma visita muito especial. Toca a campainha e, ao abrir a porta, eis que aparece o convidado: seu crítico interno de carne e osso. Esse sujeito que a vida inteira se manteve na sua mente agora se desvela. Como ele aparece na sua imaginação? O que poderia estar vestindo? De que maneira se comporta? É um homem ou uma mulher? Quais são seus gestos? Usa perfume? E o corte de cabelo? Convide-o para se sentar.

Comece agradecendo sua ajuda. Graças a ele você se livrou de poucas e boas. Soube raciocinar friamente em situações delicadas, descartou outras sem se submeter aos mesmos sufocos. Aproveite para dizer que, no afã de ajudá-lo, em algumas ocasiões, acabou interferindo na hora errada. Agora você quer, por conta própria, sem medo de errar, libertar sua imaginação. Brincar com as palavras, como se ainda fosse criança. Então, explique que está lhe dando de presente uma viagem de férias e entregue o envelope.

Aliás, para onde ele vai? Durante quanto tempo? Avise que, quando chegar ao hotel, haverá uma mensagem sua. Vocês se despedem. O gato continua ronronando. Devagarzinho mexa o corpo, movimentando os dedos, e escreva a mensagem para seu crítico interno. Guarde o texto para ler dentro de 30 dias, no mínimo.

### JARDIM DA CRIATIVIDADE

Essa técnica é inspirada no *workshop* "Escrita Total", de Edvaldo Pereira Lima. Para ele, a visualização criativa facilita a comunicação entre a mente inconsciente – intuitiva, criativa, bem-humorada – e a mente consciente – lógica, concreta, ótima para organizar, mas limitada para criar.

Trata-se de um recurso lúdico que concentra e, ao mesmo tempo, relaxa a mente. Você coloca uma música de fundo suave, fecha os olhos e cria os detalhes de um lugar idílico, gravando essas sensações de bem-estar, ricas em imagens coloridas: de um lado, o corpo em repouso; de outro, a mente em devaneio, percebendo sensações, cores, criando os mínimos detalhes.

**Instruções**

Coloque uma música de fundo que lhe permita relaxar (apenas instrumental, para evitar a dispersão). De olhos fechados, deitado ou sentado (a coluna ereta e flexível), solte as tensões desnecessárias. Inspire e expire, suave e profundamente, até esvaziar a tela mental e aquietar os pensamentos (veja o tópico "Dicas de preparação", p. 122). Apenas se atenha ao fluxo da respiração. De repente, você percebe que atravessa um salão, rodeado de vitrais por onde penetram os raios do sol. No final avista uma portinhola que o faz pensar no coelho da Alice no País das Maravilhas. Você não se contém de curiosidade. Agacha-se e ao atravessá-la depara com um cenário idílico da natureza.

Olhe a imensidão azul, de um azul mais azul que o céu e o mar. À medida que avança lentamente a trilha, é capaz de enxergar a vegetação em 3D. Caminhe devagar até avistar um imenso portal, onde está escrito em letras garrafais: meu jardim da criatividade.

Na frente do jardim, Você encontra o guardião. Como o imagina? Homem, mulher? Um arlequim, ou alguém mais parecido com o guarda de um palácio? Vocês trocam olhares. Você acena e entra no jardim que vai ser construído com leveza e exatidão. Há pássaros? De que tipo? E as flores, os tons do verde-maçã ao verde-esmeralda, os grilos e as borboletas como pingentes de luz. Você está maravilhado.

Escolha um local para construir um estúdio de criação. É o refúgio onde sempre poderá encontrar inspiração, relaxar e se preparar para escrever. Observe as cores, os objetos, os livros... Encarregue-se de torná-lo aconchegante. Imagine a cartola de um mágico com palavras. Um telão por onde passam seus autores favoritos. Basta um clique e eles falam com você. O tempo aí não existe: futuro e passado se encontram na biblioteca universal. Grave cada detalhe e sensação.

Por fim, muito lentamente, refaça o caminho de volta, retomando o mesmo trajeto. Ao sair pelo portão, agradeça ao guardião. Quando voltar ao início da trilha, respire pela barriga, sentindo o peso e os contornos do corpo. Terminada a experiência, escreva sobre um tema de livre escolha. Você pode também começar pelo mapa mental, cuja palavra-chave é seu jardim da criatividade. Em seguida, escreva!

## Possibilidades de utilização do jardim

**Modo passivo:** recurso para se desligar da agitação e treinar o devaneio, acessando o estado alfa da mente, responsável por acionar a capacidade de imaginar. Excelente aquecimento antes de soltar o verbo.

**Modo ativo:** encontrar pistas de um enigma, conselhos do seu escritor favorito, ideias para a conclusão da dissertação etc. Você, por exemplo, abre a cartola da imaginação e depara com um símbolo, uma palavra ou uma chuva de inspiração que contém o mapa do eureca. Ao entrar no estúdio, você sabe que lá estão as respostas que tanto procura e encontra imagens, cores, cheiros, sensações – e, ainda, sem contornos claros, a inquietude ou o esboço de uma ideia.

Outro exemplo de direcionar a técnica no modo ativo é o auge ou a finalização de uma pesquisa com entrevistas em profundidade. Estando no estúdio da criação, você recapitula ou aviva emoções e descobertas, tendo a nítida sensação de que consegue, inclusive, sentir o *não dito* dos entrevistados. E, de repente, visualiza um presente, gravado em letras coloridas: análise do meu trabalho. Você se deixa invadir por uma sensação nebulosa do desconhecido, a síntese prestes a eclodir.

Somente o treino permitirá usufruir dos benefícios infindáveis, a tal ponto que sintonize rapidamente sua atenção inventiva.

## TÉCNICAS PROJETIVAS

As técnicas projetivas foram amplamente pesquisadas por William J. J. Gordon (1919-2003), considerado o pioneiro no uso da projeção como fonte de ideias e invenções.

Em psicologia, a projeção acontece quando sentimentos ameaçados ou inaceitáveis são reprimidos e, então, projetados em alguém.

Em nosso caso, por meio do suporte visual ou do mundo externo, estimulamos a projeção intencional para estimular a escrita. Interessa relacionar a experiência atual às informações armazenadas. Dessa forma, constrói-se uma ponte entre o novo e algo que já se sabe. Esse é o papel das analogias e metáforas: transportar-nos, de um lado a outro do mesmo rio, com nossas experiências, energizando habilidades criativas, imaginativas e associativas.

**Projeção com suporte**
Colecione imagens abstratas para repetir esse exercício de vez em quando. Você pode fazer um desenho livre, recortar aleatoriamente imagens de uma revista e/ou separar objetos, fotos, brinquedos.

A solução do seu texto está nesse suporte escolhido para a projeção. Aquiete-se antes de começar, lembrando-se de que se trata da atenção inventiva (p. 38). Observe o objeto e, quando se sentir pronto, escreva ou anote pistas de ideias.

**Projeção externa**
Assim como o mundo é nossa biblioteca, qualquer lugar, cidade ou paisagem se transforma em fonte inesgotável de inspiração. Depende do olhar de descoberta, aquela mirada inocente por onde pulsa nossa curiosidade criativa.

Insira na sua rotina passeios inusitados. A fim de que renda frutos, antes de sair de casa, mergulhe no tema de seu interesse para que seu inconsciente tenha uma direção. Imagine que esteja escrevendo este livro. Então, decide dar um passeio. As respostas do capítulo você encontrará no mundo exterior, naquela praça, naquele bar, na fila do supermercado, no parque.

Você pode, inclusive, antes de sair, ler um artigo ou simplesmente fazer um mapa mental e refrescar a memória. Lembre-se de desligar o celular para evitar dispersão.

Observe o entorno de um novo ângulo. As respostas, as pistas, as ideias estão todas aí. Basta abrir as anteninhas de percepção e apreendê-las. Leve consigo o bloco de notas. Só não perca de vista o propósito. Você está à caça do seu tesouro.

IDENTIFICAÇÃO

Em psicologia, identificação é o processo inconsciente pelo qual o indivíduo se esforça para se moldar de acordo com o outro. Em nosso caso, escolhemos o ângulo específico para nos identificar, no esforço consciente de ativar o processo criativo.

A ideia é fechar os olhos e se sentir literalmente dentro do problema, do objeto em questão. Dessa maneira, por meio de comparações, há a transferência entre o que já existe na memória para as sensações que se tenta explicar. Em outras palavras, recorrem-se às analogias e metáforas.

Essa técnica é ideal quando o assunto está impregnado a ponto de não sair da mente. Você precisa conhecê-lo a fundo para mergulhar na experiência. Não se trata de uma vivência fantástica aleatória, mas de penetrar sutilmente em alguns aspectos da sua investigação.

### Identificando-se com uma perspectiva

Imagine que esteja elaborando um relatório ou um personagem. Você escolhe uma perspectiva do relatório ou do personagem em uma situação específica. O primeiro passo é relaxar, aquietar os pensamentos para aproximar-se do estado mental alfa, similar ao do sonho. Se puder, deixe um aplicativo de gravação ligado e vá dizendo suas impressões. Se preferir, assim que terminar a experiência, escreva o mais rápido que puder.

### Identificando-se com personagens aleatórios

Outro exemplo de identificação é se colocar na pele de pessoas ou personagens aleatórios: uma pessoa de 100 ou 5 anos, Napoleão Bonaparte, Tiradentes, Gandhi, um super-herói de história em quadrinhos etc. Talvez prefira se identificar, inclusive, com seus possíveis leitores. O quer diria Gandhi sobre sua pesquisa? Que orientações ele lhe daria?

### Ginástica de perspectiva

Gosto muito de algumas vivências do teatro, por meios das quais é possível experimentar diversos pontos de vista. Entre elas está a técnica de experimentar a perspectiva de um personagem, uma ideia, um produto. Trata-se de um exercício e tanto para você treinar novos pontos de vistas e a coerência a partir do mundo do que se percebe.

Se você fosse uma chuva, como pensaria? Quais seriam seus receios? O que mais você gostaria de fazer? Que relação estabeleceria com as pessoas? E com o sol? O que você faria enquanto faz sol? O que determinaria sua mudança de humor? E se você fosse um livro? Um carro?

Assim como o mapa da empatia (p. 107), que procura uma compreensão maior do outro ou do produto, aqui você realmente se transforma no objeto da sua pesquisa. Em vez de analisar ou usar dados concretos, dê livre curso à imaginação. Em seguida, escreva sua história.

## COISAS TRIVIAIS

O grupo OuLiPo, formado por escritores franceses, utiliza variantes de escrita constrangida, na qual se está limitado ora por uma proibição, ora pela imposição de um padrão. Verdadeiro antídoto contra a falta de curiosidade e a indiferença, os exercícios de escrita oulipiana são um convite à interrogação.

Sondar o que parece ter deixado definitivamente de nos surpreender: a experiência com espaços despercebidos ou rejeitados: o azulejo, o asfalto, o muro, maneiras à mesa, o modo de lidar com o tempo, nossos ritmos. Emergem gestos, hábitos, rituais, por meio dos quais se delimitam os lugares ocupados de um jeito único e particular.

### A rua da minha infância
Descreva a rua da sua infância e, depois, qualquer outra. Compare as duas. Compare-as ainda com a rua da sua casa atual.

### As praças
Algumas praças marcam nossa vida. Narre aspectos distintos e familiares.

### Lugares onde dormi
Georges Perec (1926-1982) propõe um inventário dos espaços onde já dormimos ao longo da vida. A ideia é reanimar, reavivar memórias fugazes. O primeiro passo é classificar por tipo de espaço. Exemplo: quartos de amigos, quartos de hotéis etc. Em seguida, escolha dois ou três quartos para o exercício. Descreva minuciosamente cada um deles, a cama, o teto, enfim, saboreie sensações, emoções e imagens.

### O horizonte e o cubículo
Em algum momento, você deve ter sentido uma grande sensação de amplidão, olhando o horizonte. Quem sabe o pico da montanha ou o voo de asa-delta, até mesmo a vista de uma janela. Do mesmo jeito, pode ter vivenciado, ao contrário, a experiência de compressão ou estreitamento: a caverna ou o porão, o beco ou a rua estreita. Escreva as texturas, as cores dos ambientes e as sensações. Compare-as, revisitando as impressões registradas na memória.

## Dentro do bolso ou da bolsa

Faça o inventário do que tem no bolso ou na bolsa. Elabore diversas perguntas, da procedência e das características ao modo de uso e ao devir de cada objeto. Uma vez respondidas as perguntas, escreva uma história sobre um ou mais objetos.

## Perguntas triviais

O que importa agora é fazer uma série de perguntas ao acaso, sem conexão aparente entre elas. Quanto mais fúteis ou triviais, melhor. Em vez de pensar nas respostas, escreva rapidamente.

> Quais são seus gestos quando está com sono? Por quê?
> E quando está pensativo?
> Quando acorda, qual é seu primeiro sentimento?
> O que costuma fazer antes de dormir?

## Lugares públicos

Aqui cabe uma miríade de opções.

> A padaria que frequentava na infância.
> O parque onde brincava.
> O circo, o cheiro e a cor da serragem, a lona, a maquiagem do palhaço...
> O sapateiro.
> Algum lugar trivial.

## Conversas ao acaso

Sabe a típica conversa de elevador? Ou o papo na fila do cinema, que você escuta quase sem querer? Fique antenado e, na primeira oportunidade, aproveite o embalo para escrever seu texto.

## USANDO A LEITURA COMO FERRAMENTA

### Palavras ao acaso
Abra um livro em uma página qualquer e escolha sete palavras aleatórias. Em seguida, escreva um texto que contemple as mesmas palavras, adequando-as perfeitamente ao contexto.

### Novos finais
Escolha um texto, poesia, conto ou crônica e crie uma nova versão. Inclua uma palavra escolhida ao acaso, que vai nortear o novo desfecho.

### Jornal ou revista
Pesquise uma manchete atraente. Com base na matéria, extraia os personagens principais, o conflito ou peripécia. Proponha uma versão alternativa dos fatos. Brinque à vontade e deixe a imaginação explorar possibilidades.

### Resumo
Leia o texto quantas vezes for necessário, até se certificar de que compreendeu seu teor. Organize o resumo, seguindo a ordem cronológica. A partir da segunda ou terceira leitura, sinalize frases ou palavras-chave. Resuma parágrafo por parágrafo. Revise o texto, lendo em voz alta.

    Ginástica excelente para trabalhar o poder de síntese. A única condição é ler com atenção redobrada para preparar a versão mais enxuta, que contenha apenas os aspectos relevantes.

### Tomar notas
Você precisa desenvolver o olho clínico para fazer leituras dirigidas e anotar ideias que subsidiem seu propósito. Do mesmo jeito, é interessante levar consigo o bloco de notas para

registrar ideias espontâneas ou trechos e frases que possam inspirar a elaboração de outros textos.

| LENDO COM ATENÇÃO |
|---|
| Sublinhe as ideias principais ou as palavras-chave da leitura. Use cores diferentes para destacar partes importantes do texto. |
| Faça anotações: ideias, motivos, datas etc. |
| Inclua os dados do livro: título da obra, autor, página, editora, ano de publicação, site e data de acesso etc. |
| Seja criterioso, sublinhando e anotando somente o que for pertinente à sua pesquisa. |

**Resumir um livro usando o mapa mental**

Leia o texto, grifando o que considera mais importante, de maneira colorida. Identifique as palavras-chave por categorias de informações. Em seguida, escreva no centro do papel o tema sobre o qual você vai trabalhar.

Reflita sobre o primeiro tópico sublinhado e destaque o título no papel. Sem demora, ramifique o tópico e crie subtópicos, de acordo com os objetos relacionados à questão inicial. Utilize as palavras-chave destacadas no texto e repita o processo com cada assunto que julgar importante.

Outras sugestões para resumir com mapa:

| LEITURA COM APOIO DO MAPA MENTAL |
|---|
| Folhear o livro procurando o índice, letras em itálico, tópicos principais, negritos, fotos, desenhos ou gravuras. |
| Montar o mapa mental com os capítulos ou divisões do índice nos troncos principais e as seções e subseções nas ramificações (ramos). |
| Ler o livro e completar o mapa com os detalhes relevantes, de acordo com os objetivos prévios da leitura. |

## USANDO A FANTASIA COMO FERRAMENTA

O princípio básico da instigante obra *Gramática da fantasia*, de Rodari (1982), é o uso total da palavra para todos. O autor não apenas reconhecia o lugar da imaginação nos processos de aprendizagem como confiava na criatividade e no poder libertador da palavra.

Nossa proposta agora é unir palavras, criando entre elas um parentesco inexistente e improvável. Parafraseando Rodari, você pode entrar na realidade pela porta principal ou – ainda mais divertido – deslizar pela janela.

### O binômio fantástico

Consiste em lançar palavras umas contra as outras, produzindo a luta entre dois conceitos ou ideias que estão em oposição. O estranhamento decorrente permite ir além do significado habitual. Ou seja, em vez do conceito isolado, interessa o princípio de oposição, que cria um binômio fantástico.

Instruções – Escolha por acaso duas palavras. Em seguida, una-as por meio de preposições (com, do, da, sobre, no, na etc.). Escolha a junção mais absurda e escreva a história.

Veja o exemplo a seguir, cujas palavras escolhidas ao acaso foram: codorna e mala – ou, se preferir, borboleta e umbigo.

| SUGESTÕES FANTÁSTICAS PARA SEU TEXTO |
| --- |
| A codorna da mala. |
| A codorna com a mala. |
| A codorna sobre a mala. |
| A codorna na mala. |
| A codorna contra a mala. |

### Hipótese fantástica: e se?

A pergunta que vai gerar novas histórias é: "O que aconteceria se..." O primeiro passo é juntar um predicado e um verbo. Exemplos:

- São Paulo + transformar em deserto = o que aconteceria caso São Paulo se transformasse em um deserto?
- Maria + voar para Brasília = o que aconteceria se Maria voasse para Brasília?

Agora responda às hipóteses acima, multiplicando, espontaneamente, os acontecimentos narrativos.

## TÉCNICA DO ESCÂNER

Em alguns casos, usando a mesma técnica você pode tanto se impregnar quanto se distanciar para obter estímulos criativos. Em outras palavras, funciona como trampolim para cruzamentos que vão lhe fornecer pistas de ideias.

### Raio X

Inventário de elementos objetivos e subjetivos: dados, informações, tamanho, volume, características físicas (se houver), elementos escondidos ou intangíveis (com direito a ideias sem pé nem cabeça).

Inventário de funções objetivas e subjetivas: lista de verbos transitivos que elucidem função concreta e também psicológica, social etc.; contexto físico e humano: aqui você delimita as fronteiras do tema, o universo de pessoas envolvidas, enfim, usa a imaginação para explorar.

### Ressonância de verbos

Minha sugestão é que você relacione verbos partindo do tema central da sua pesquisa. Pensando no tema deste livro, por exemplo, alguns verbos surgem espontaneamente: ler, escrever, revisar, editar, enxugar etc. Portanto, você pode fazer uma lista própria.

Com base nessa lista de verbos, você vai deformar o tema, aumentar, diminuir, subtrair, resumir, esticar, apagar, escanear etc.

Cada verbo dispara uma série de associações. Inspire-se nelas e escreva seu texto. Brinque com essas combinações, cruze-as com as funções e os elementos objetivos e subjetivos. Veja, a seguir, um exemplo de texto produzido, brincando com esse exercício.

> **UM LIVRO PARA CHAMAR DE MEU**
>
> Um livro enxuto que cabe na palma da mão como o da primeira comunhão. Direto ao ponto, com frases curtas, tão diminutas que se resumem a um ponto. Temos perdido a noção do abecedário, talvez por essa razão o mundo viva à caça de cartilhas. Ninguém mais tem paciência de se deitar na rede dos pensamentos até chacoalhar personagens que viram a segunda pele. Preferimos novelas que ditam a moda do consumo. Ou comprar um pacote de dez sessões para mudar o *mindset* e virar herói. Um ponto no universo, sem palavras, sem nada.

## PERGUNTAR PARA DIVERGIR

Escolha um objeto ou um tema. Em seguida, responda a cada uma das questões que mostrarei a seguir utilizando a escrita rápida, ou seja, sem prévia análise ou preocupação com aspectos formais de linguagem. Não se deixe levar por hesitações. Todas as ideias são válidas. Apenas se encarregue de registrar o maior número de associações espontâneas.

Embora algumas perguntas pareçam similares, elas poderão oferecer respostas com novas abordagens, pontos de vista diferentes. Algumas pistas poderão, mais tarde, ser exploradas nos mapas mentais, dando lugar a outros vínculos e textos interessantes, absolutamente imprevisíveis e nada convencionais.

### Recomendações preliminares

Perguntas convergentes dão lugar a uma única resposta considerada a certa. "O que é", por exemplo, é uma pergunta convergente. Já "o que pode ser" é divergente.

Procure se livrar de respostas corretas e experimentar a liberdade do pescador de ideias.

Ao responder a cada pergunta, você pode optar por fazer uma narração, descrição, história ou poesia – ou até mesmo desenhar com as palavras.

As perguntas permitem "abrir arquivos" e resgatar conteúdo e/ou informação.

Explore diferentes perspectivas, ativando novas dimensões de expressão.

Perceba a diferença entre a fluência do campo imaginário e os pensamentos automáticos e insistentes.

Caso as respostas se tornem repetitivas, coloque-se no lugar do objeto ou tema e brinque de ser personagens diferentes, respondendo às perguntas (experimente aqui os exercícios de identificação (p. 128).

Ao terminar de responder às perguntas (você pode levar uma hora ou uma semana), observe as previsibilidades aprendidas culturalmente.

Experimente saltar de paraquedas no mundo da imaginação.

## O QUE É EXATAMENTE ISSO?

- O que, de fato, pode ser isso?
- No fundo, isso poderia ser o quê?
- Qual é a semelhança disso com outras coisas?
- Quais são minhas percepções a respeito disso?
- Caso eu encarnasse esse assunto ou objeto, o que eu perceberia de diferente?
- Que pensamentos e emoções recorrentes surgiriam se eu fosse esse assunto ou objeto?
- Revendo as respostas anteriores, o que eu percebo de ambíguo?
- O que deixei de dizer?
- Se eu ainda fosse criança, o que poderia acrescentar?

## POR QUÊ?
- Por que não?
- Se a razão não fosse essa, qual seria?
- Que outros motivos, no fundo, são difíceis de admitir?

## QUEM?
- Quem mais?
- Quem não?
- Há grupos diferentes envolvidos? Quais?

## COMO FUNCIONA?
- Como funcionaria se...?
- E se não funcionasse assim, como seria?

## QUANDO?
- Quando aconteceu justamente o contrário?
- Quando aconteceu a mesma coisa?

## ONDE?
- Você consegue ter noção de onde está o limite disso?
- Se não fosse aí, onde poderia ser?

Outras perguntas que vale a pena fazer: quanto? O que foi mais estranho? Como se resolveu? Finalmente, do que se trata?

# Referências

ALMEIDA, MARIA DA CONCEIÇÃO DE. "Claude Lévi-Strauss e três lições de uma ciência primeira". *Cronos*, v. 9, n. 2, jul. 2008.

_____. *Complexidade, saberes científicos, saberes da tradição*. São Paulo: Livraria da Física, 2010.

ALVES, RUBEM. *As melhores crônicas de Rubem Alves*. Campinas: Papirus, 2008.

ANDRADE, CARLOS DRUMMOND DE. *Antologia poética*. São Paulo: Companhia das Letras, 2012a.

_____. *Contos de aprendiz*. São Paulo: Companhia das Letras, 2012b.

_____. *Boca de luar*. São Paulo: Companhia das Letras, 2014.

ANDRADE, MÁRIO DE. *Contos novos*. Rio de Janeiro: Nova Fronteira, 2015.

ASSIS, MACHADO DE. *Quincas Borba*. São Paulo: Penguin/Companhia das Letras, 2012.

_____. *Crônicas escolhidas*. São Paulo: Penguin/Companhia das Letras, 2013.

_____. *Contos fluminenses*. São Paulo: DCL, 2014.

_____. *Dom Casmurro*. São Paulo: Penguin/Companhia das Letras, 2016.

AZNAR, GUY. *Ideias – 100 técnicas de criatividade* . São Paulo: Summus, 2011.

BARRETO, AFONSO HENRIQUES DE LIMA. *Triste fim de Policarpo Quaresma*. São Paulo: Penguin/Companhia das Letras, 2011.

BRAGA, RUBEM. *Um cartão de Paris*. Rio de Janeiro: Record, 2007.

_____. *Melhores contos*. São Paulo: Global, 2010.

_____. *A coleira do cão*. São Paulo: Saraiva, 2015.

BURGOS, TACIANA LIMA. "O sítio virtual como suporte de leitura e de navegação". *Revista Contexto*, v. 3, n. 3, 2008. Disponível em: <http://http://periodicos.uern.br/index.php/contexto/article/view/46/44>. Acesso em: 25 jul. 2019.

CAIRO, ALBERTO; MOON, PETER; SORG, LETÍCIA. "A internet faz mal ao cérebro?" *Época*, n. 663, out. 2011, p. 76-84. Disponível em: <http://revistaepoca.globo.com/ideias/noticia/2011/10/internet-faz-mal-ao-cerebro.html>. Acesso em: 25 jul. 2019.

CAMPOS, PAULO MENDES; BRAGA, RUBEM; ANDRADE, CARLOS DRUMMOND DE; SABINO, FERNANDO. *Para gostar de ler: crônicas*. São Paulo: Ática, 1989.

CHIAVENATO, IDALBERTO. *Construção de talentos: coaching & mentoring*. Rio de Janeiro: Campus, 2002.

DAMASCENO, BIANCA. "A sociedade contemporânea e seus meios de competência: uma crítica ao *coaching* à luz da teoria psicanalítica". Mesa-redonda do evento "O psicanalista, sua clínica e sua cultura", Universidade Federal do Ceará, Fortaleza, 26 a 28 de maio de 2011. Disponível em: <http://www.psicanalise.ufc.br/hot-site/pdf/Mesas/06.pdf>. Acesso em: 25 jul. 2019.

DE-NARDIN, MARIA HELENA. *Um estudo sobre as formas de atenção na sala de aula e suas relações com a aprendizagem*. Dissertação (mestrado em Psicologia Social e Institucional), Universidade Federal do Rio Grande do Sul, Porto Alegre (RS), 2007. Disponível em: <https://www.lume.ufrgs.br/bitstream/handle/10183/10087/000594777.pdf?sequence=>. Acesso em: 25 jul. 2019.

Depraz, Natalie; Varela, Francisco; Vermersch, Pierre. *The gesture of awareness: an account of its structural dynamics.* Amsterdã/Filadélfia: John Benjamins, 1999.

Depraz, Natalie; Varela, Francisco; Vermersch, Pierre (orgs.). *On becoming aware: a pragmatics of experiencing.* Amsterdã/Filadélfia: John Benjamins, 2003.

Di Nizo, Renata. *A educação do querer – Ferramentas para o autoconhecimento e a autoexpressão.* São Paulo: Ágora, 2007.

_____. *Escrita criativa – O prazer da linguagem.* São Paulo: Summus, 2008.

Fischer, Steven Roger. *História da leitura.* São Paulo: Ed. da Unesp, 2005.

Freire, P. *Professora sim, tia não: cartas a quem ousa ensinar.* São Paulo: Olho d'Água, 1997.

Freud, S. "Recomendações aos médicos que exercem a psicanálise". In: *O caso Schreber, artigos sobre técnica e outros trabalhos.* Obras psicológicas completas de Sigmund Freud. Rio de Janeiro: Imago, 1969. v. XII.

Gallwey, Timothy. *O jogo interior do tênis – O guia clássico para o lado mental da excelência no desempenho.* São Paulo: Sportbook, 2015.

Goleman, Daniel. *Inteligência emocional.* Lisboa: Temas e Debates, 1997.

Gomez, Natalia. "Os danos da concisão". *Revista Língua Portuguesa,* n. 67, maio 2011, p. 22-25.

Knausgård, Karl Ove. *A descoberta da escrita.* São Paulo: Companhia das Letras, 2017.

Koestler, Arthur. "Moments of true". In: *The act of creation.* Londres: Hutchinson & Co., 1964.

Kuhn, Thomas S. *A tensão essencial.* Lisboa: Edições 70, 1989.

Lévy, Pierre. *Cibercultura.* Rio de Janeiro: 34, 1999.

Lewin, Kurt. *Princípios de psicologia topológica.* São Paulo: Cultrix/Edusp, 1973.

Marchioni, Rubens. *Criatividade e redação – O que é e como se faz.* São Paulo: Loyola, 2007.

Martins Filho, Eduardo Lopes. *Manual de Redação e Estilo de O Estado de S. Paulo.* São Paulo: Moderna, 2006.

MOSÉ, VIVIANE. *A escola e os desafios contemporâneos*. Rio de Janeiro: Civilização Brasileira, 2013.

MUSSAK, EUGENIO. *Metacompetência – Uma nova visão do trabalho e da realização pessoal*. São Paulo: Gente, 2003.

PERISSÉ, GABRIEL. *Ler, pensar e escrever*. 5 ed. rev., atual. e ampl. São Paulo: Saraiva, 2011.

PROUST, MARCEL. *No caminho de Swann*. Trad. Mário Quintana. São Paulo: Abril Cultural, 1982.

RAMOS, GRACILIANO. *Memórias do cárcere*. Rio de Janeiro: Record, 2013.

RODARI, GIANNI. *Gramática da fantasia*. São Paulo: Summus, 1982.

ROSA, JOÃO GUIMARÃES. *A hora e a vez de Augusto Matraga*. Rio de Janeiro: Nova Fronteira, 2013.

_____. *Grande sertão: veredas*. São Paulo: Companhia das Letras, 2019.

STRUNK JR., WILLIAM. *The elements of style*. Indiana: Full Moon, 2014 (e-book).

TIMBAL-DUCLAUX, LOUIS. *Escritura creativa – Técnicas para liberar la inspiración y métodos para la redacción*. Madri: Edaf, 1993.

VÁRIOS AUTORES. *Contos brasileiros*. v. 2. São Paulo: Ática, 2017 (Coleção Para Gostar de Ler).

VÁRIOS AUTORES. *Crônicas*. v. 1 a 3. São Paulo: Ática, 2017.

VIGOTSKI, LEV SEMIONOVICH. *Imaginação e criação na infância: ensaio psicológico. Livro para professores*. Trad. Zoia Prestes. São Paulo: Ática, 2009.

VILA-MATAS, ENRIQUE. *Paris não tem fim*. São Paulo: Cosac Naify, 2007.

# Agradecimentos

Agradeço às pessoas que me inspiram e presenteiam com sua poesia natural. Agradeço às palavras que cruzam minha existência para aliviar o aperto e a escassez de sentido.

Agradeço aos amigos com os quais compartilho incertezas e exclamações: Christiane Rubião, Regina Junqueira, Marisa Fernandes Bianco, Edivan dos Santos, Denise Camargo, Eliane e Sidney Martins, Ana Garcia Diez, Christiane Rubião, Evelyn Lablanche, Laurence Beriol, Liliane Robman.

E à santa paciência da minha editora, que me vira do avesso com suas interrogações. Em especial ao meu núcleo criativo: Soraia Bini Cury, Cleide de França Santos, Izabela de Almeida, Rosi Valle e o querido Mário Freire.

IMPRESSO NA
**sumago** gráfica editorial ltda
rua itauna, 789  vila maria
**02111-031**  são paulo  sp
tel e fax 11 **2955 5636**
**sumago**@sumago.com.br